KB197922

만주 벌판을 잊은 그대에게

만주 벌판을 잊은 그대에게

만주를 꿈꾼 3윤의 북로역정

윤기묵 역사에세이

작가

차례

[프롤로그]

삶에 지고 역사에 이긴 사람들

오래 전에 송광룡 시인의 역사기행산문집 『역사에 지고 삶에 이긴 사람들』을 읽은 적이 있다. 당대의 권력투쟁에서 패배한 조선시대 선비들의 곡진한 삶과 그들이 남긴 발자취를 소개한 책이다. 책을 펴내면서 송광룡은 다음과 같은 소회를 밝혔다.

그해 나는 남도의 끄트머리인 전남 장흥의 천관산에 올라 남해바다를 보았고, 전북 진안의 천반산에 올라 죽도를 내려다보며 하릴없이 서성거렸다. 어떤 곳은 폐허뿐이었고, 어떤 곳은 풍문뿐이었다. 그 속에서 나는 역사 속의 무수한 인물들을 만났다. 그들과 함께 벼슬을 하고, 그들과 함께 유배가고, 그들과 함께 은둔하며, 그들과 함께 울고 웃었다. 그들은 너나없이 위대한 인물이었으나 내가 보려 했던 것은 위대한 인물이 아니었다. 너무 위대해서 다가갈 수 없는 그런 선인選人이 아니었다. 나는 한 평범한 사람으로서의 양산보, 김인후, 기대승, 정여립, 정개청, 강항, 윤선도, 위백규, 정약용, 장의순, 황현 등을 찾았다. 그들이 감내하고 기꺼워했을 사람살이의 희로애락을 느끼려 했다. 나를 포함한 오늘의 우리와 비교할 수 있는 한 존재로서 그들을 이해하고 싶었다. 그 지점에서 그들이 어떻게 자신의 삶을 갱신할 수 있었는가를 알고 싶었다. 그래서 그들이 현재의 삶 속에서 다시 살아나 우리와 한몸을 이루어 살아갈 수 있기를 바랐다.

그런데 나는 이 책의 제목을 20여 년이 지난 지금까지도 『역사에 지고 삶에 이긴 사람들』이 아닌 『삶에 지고 역사에 이긴 사람들』로 기억하고 있었다. 송광룡은 권력투쟁에서 패한 것은 '역사에 진 것'이고, 그럼에도 불구하고 자신의 삶을 갱신하여 오늘날까지 이어지는 족적을 남겼으니 '삶에 이긴 것'이라고 생각한 모양이다. 그러나 권력투쟁에서 패한 것은 개인의 '삶에 진 것'이지 '역사에 진 것'은 아니라는 것이 나의 생각이다. 왜냐하면 기록된 역사가 승자의 것이라면 패배를 두려워하지 않는 자의 역사는 기억되는 역사이기 때문이다.

그러므로 폐허든 풍문이든 남아 있고 기억된다는 것은 기억에서조차 사라진 것에 비하면 결코 세상의 그 무엇에게도 진 것이 아니다.

이 글에서 소개하려는 사람들도 어떤 의미에서 '삶에 지고 역사에 이긴 사람들'이다. 이 책의 부제인 「만주를 꿈꾼 3윤의 북로역정」에서 3윤은 윤씨 성을 가진 세 사람, 즉 윤언이尹彦頤(1090~1150), 윤휴尹鑴(1617~1680), 윤내현尹乃鉉(1939~)을 말하며 북로역정이란 고구려와 발해 멸망 이후 우리 역사에서 지워진 북녘 땅을 회복하고 복원하고자 했던 그들의 인생역정을

일컫는다. 나 또한 송광룡의 역사인식처럼 그들이 현재의 삶 속에서 다시 살아나 우리의 시대정신과 한몸을 이루어 살아갈 수 있기를 바라고 있다. 그런 의미에서 그들의 삶이 오늘날 우리들의 삶에 어떤 모습으로 투영되고 있는지 알고 싶었다.

현재 우리가 살고 있는 한반도 남녘 땅은 섬과 다름없다. 북로는 막혀 있고 삼면은 바다로 둘러싸여 있다. 우리의 선조들은 그들의 조상이 남긴 광활한 유산과 삶의 터전을 끝내 지키지 못하고 더 이상 오갈 데 없는 반도 땅만 물려 주었다. 우리의 현대사는 그마저도 반으로 갈라진 분단상황에서 진행되고 있다.

북녘 땅을 상실한 지 어느덧 1000여 년. 그동안 그 땅을 회복하고자 북벌北伐을 주장했던 사람들은 시간의 간극에도 불구하고 역사에 패자敗者로 기록되어 있다. 윤언이와 윤휴가 그랬고, 윤내현도 그런 대접을 받고 있다. 이유는 북벌이라는 대의와 시대정신이 권력투쟁으로 변질되었기 때문이다. 윤언이는 모화사상에 경도된 김부식金富軾 세력에게 패했고, 윤휴는 소중화사상을 시대정신으로 몰고 간 송시열宋時烈 세력에게 패했으며, 윤내현은 실증사학이라는 도그마에 빠져 있는 주류 역사학자들에게 패하고 있다. 그들이 주장하는 북벌은 단순히 강역을 넓히자는 것이 아니었다. 우리 조상들이 남긴 광활한 유산과 정신을 회복하자는 것이었다.

이 글을 쓰는데 신채호申采浩의 탁월한 식견과 안목이 많은 영감을 주었다. 나의 졸시 「역사를 외다」에서 고백했듯이 유년시절 무작정 외웠던 『조선상고사』 총론은 기록된 역사와 기억하고 있는 역사의 차이가 무엇인지 분명히 인식시켜 주었고 거기에 문학적 상상력을 더해 주었다. 특히 '윤언이는 윤관의 아들로서 유일하게 화랑계통'이었으며 윤언이가 김부식 세력에게 패함으로써 고조선-고구려-신라-발해-고려로 이어져 내려온 선배仙人-조의선인皁衣先人-화랑花郎정신이 사라졌다는 그의 주장은 역사적 상상력에 더욱 큰 날개를 달아 주었다.

윤씨 이야기

이 책에서 소개하려는 사람들은 공교롭게도 모두 윤씨이다. 윤언이는 파평坡平이 본관이고, 윤휴는 남원南原, 윤내현은 해남海南이 본관이다. 이밖에도 해평海平과 칠원漆原을 본관으로 하는 윤씨가 있다. 2015년 기준으로 한국 인구의 2%(약 100만 명) 정도가 윤씨 성을 가지고 있으며 개중 75%인 약 75만 명이 파평 윤씨라 한다.

파평 윤씨의 시조는 윤신달尹莘達이다. 신라 진성여왕(재위 887~ 897) 7년인 서기 893년에 태어나 고려 광종(재위 949~ 975) 24년인 서기 973년에 81세로 사망한 것으로 되어 있다. 나말여초羅末麗初에 고려 태조(재위 918~943) 왕건을 도와 고려를 개국하는데 공을 세워 삼한벽상 익찬공신의 공호와 삼중대광태사라는 관작을 제수 받았다고 『고려사』「윤관열전」에 기록되어 있다.

후삼국을 통일한 왕건은 서기 940년 개성에 신흥사를 중수하고 이곳에 공신당功臣堂을 건립하여 고려의 개국과 후삼국을 통일하는데 공을 세운 삼한공신들의 모습을 공신당 벽에 그려 넣었다. 벽에 그린 삼한공신이라 하여 이들을 삼한벽상공신三韓壁上功臣이라 부른다. 홍유, 배현경, 신숭겸, 복지겸, 유금필, 김선궁, 이총언, 김선평, 권행, 윤신달, 최준옹, 문다성, 이

능희, 이도, 허선문, 구존유, 원극유, 금용식, 김훤술, 한란, 강여청, 손긍훈, 방계홍, 나총례, 이희목, 염형명, 최필달, 김홍술, 김락 등이 벽에 그려진 화상의 주인공들이다.

이들은 공신책봉과 더불어 토지를 식읍으로 받고 자신들의 세거지를 본관으로 한 성씨도 하사 받아 해당 성씨의 시조가 되었는데, 이를 사성정책賜姓政策이라 한다. 윤신달은 파평 윤씨의 시조가 되었고 홍유는 남양 홍씨의 시조가 되었다. 배현경은 경주 배씨의 중시조가 되었고, 신숭겸은 평산 신씨의 시조가 되었으며, 복지겸은 면천 복씨의 시조가 되었다. 또한 유금필은 무송 유씨, 김선궁은 선산 김씨, 이총언은 벽진 이씨, 김선평은 안동 김씨, 권행은 안동 권씨, 장길은 안동 장씨의 시조가 되었다. 뿐만 아니라 류차달은 문화 류씨, 이도는 전의 이씨, 함규는 양근 함씨, 홍규는 홍주 홍씨의 시조가 되었다. 이밖에 김훤술은 해평 김씨, 박윤웅은 울산 박씨, 김홍술은 의성 김씨의 시조가 되었다.

성씨를 하사 받고 해당 성씨의 시조가 되었다는 것은 출신과 성분에 상관없이 고려를 국체로 섬기는 주류사회의 일원이 되었다는 것을 의미한다. 한편 시조와 영웅들은 그들의 인물됨과 출신 성분을 암시하는 탄생 설화를 가지고 있는데, 윤신달은 파주군 파평산 기슭 용연龍淵이라는 연못에서 옥함으로 태어났다는 신화 같은 전설을 가지고 있다.

서기 893년 음력 8월 15일. 그 연못에 안개가 끼고 요란한 천둥과 번개가 치더니 연못 한가운데서 옥함이 떠올랐다. 그 마을에 윤온尹媼이라는 이름을 가진 노파가 이 옥함을 건져 열어보니 그 속에 사내아이가 들어 있었다. 아이의 좌우 어깨에는 붉은 사마귀가 있었고 겨드랑이에는 81개의 비늘이 있었으며, 발에는 7개의 흑점이 있었는데 찬란한 광채를 발하고 있었다. 노파는 아이를 거두어 정성껏 길렀고 아이는 노파의 성을 따라 윤씨 성을 갖게 되었다는 것이다.

이 전설은 윤신달이 신라의 토착세력이 아니라 외부에서 이주해 와 파주에 정착한 신흥세력임을 암시하고 있다. 겨드랑이에 81개의 비늘이 있었다고 묘사한 것은 아이가 물을 지배하는 용의 형상으로 태어났다는 것을 의미하는데, 예로부터 용의 출현은 성인의 탄생, 군주의 승하, 큰 인물의 죽음, 농사의 풍흉, 군사의 동태, 민심의 흉흉, 외부세력의 등장 등 국가적인 대사를 상징해 왔다. 윤신달이 외부에서 이주해 온 신흥세력이라면 그는 발해渤海로부터 왔을 것이다. 더불어 고조선-고구려-발해의 구성체로 이어져온 북방민족으로서 훗날 여진족 또는 만주족이라 불리게 되는 말갈족일 가능성이 크며 조상이 불분명하다는 왕건도 비슷한 가계가 아니었을까 생각된다.

발해는 서기 926년 1월 거란의 침략으로 멸망했다지만 멸망 이전에 이미 상당수의 발해 관료들과 유민들이 고려로 망명하여 왕건의 후삼국 통일전쟁에 참가했다고 『고려사』는 전한다. 윤신달이 궁예를 몰아내고 고려를 창업할 때 공을 세운 개국공신이 아니라 후삼국을 통일하는데 공을 세운 2등 공신으로 기록되어 있는 것으로 보아 이 무렵 발해에서 망명했으며 왕건의 측근이 되어 개성과 가까운 파주에 정착한 것으로 추측된다.

파평 윤씨 시조라면 응당 관향인 경기도 파주에 무덤을 비롯한 여러 추념시설이 있을 것으로 예상할 것이다. 그러나 윤신달의 묘와 재실인 봉강재는 파주가 아닌 경상북도 포항시 기계면에 있다. 왕건 사후 공신들과 호족들의 세력을 경계해야 했던 고려 왕실은 윤신달을 동경대도독으로 임명하여 신라의 수도였던 경주로 내려 보냈고, 볼모로 그의 외아들인 윤선지尹先之를 개경에 잡아 두었다. 지방 호족들을 견제하기 위한 기인제도其人制度였다. 윤신달은 30여 년 동안 임지를 지키다가 그곳에서 사망했는데, 그 기간 동안 외아들인 윤선지를 한 번도 만나지 못했다고 한다.

왕실세력의 공신들에 대한 견제와 대대적인 숙청으로 거의 몰락하다시피 한 파평 윤씨 집안을 다시 일으킨 사람은 윤관尹瓘이다. 그의 가계는 윤신달-윤선지-윤금강尹金剛-윤집형尹執衡-윤관으로 이어져 왔는데 모두 단계單系 즉 독자였으므로 권문세족으로 성장할 수 있는 인적 기반을 갖추지 못했다. 그러다 윤관이 오늘날 국무총리에 해당하는 문하시중이 되고 7명의 자식들이 크게 번성하면서 마침내 파평 윤씨는 고려사회의 명문가 반열에 오르게 된다. 윤관이 모든 파평 윤씨들의 중시조로 추앙 받고 있는 이유가 여기에 있다.

남원 윤씨의 시조 윤위尹威는 윤관의 증손자이다. 윤관의 7명의 자식 중 장남 윤언인尹彦仁의 손자인 것이다. 이 책의 주인공 중 한 명인 윤언이는 윤관의 여섯째 아들이다. 남원 윤씨 중 가장 유명한 인물로는 이 책의 또 다른 주인공인 윤휴가 꼽힌다.

해남 윤씨의 시조는 윤존부尹存富이다. 고려 문종(재위 1046~1083) 때 사람이라고 하는데 이후 7세까지 세계世系가 실전失傳되어 가계의 자세한 내용은 알 수 없다. 8세손인 윤광전尹光琠에 이르러서야 자세한 세계가 전해오고 있는데 공민왕(재위 1351~1374) 때, 사온직장 영동정이라는 벼슬을 지내다 고려가 망하자 해남으로 내려와 정착하게 되었다고 전해진다. 해남 윤씨를 대표하는 인물로는 윤선도와 윤두서가 유명하다. 이 책의 또 다른 주인공인 윤내현은 윤선도의 12세(윤두수의 9세) 후손이다.

해평 윤씨의 시조는 윤군정尹君正이다. 고려 고종(재위 1213~1259), 원종(재위 1259~1274) 때 금자광록대부, 수사공, 좌복야, 공부판사를 지냈다고 한다. 그의 손자 윤석이 고려 충숙왕(재위 1313~1339) 때 충근절의 동덕찬화 보정공신, 벽상삼중대광, 도첨의사, 우의정, 판전리사사로 해평부원군에 봉해졌다. 그래서 후손들이 해평(경북 구미)을 본관으로 하였다. 해평 윤씨에서 우리나라 4대 대통령인 윤보선이 배출되었다.

칠원 윤씨는 윤씨 성 중 가장 오래된 성씨이다. 시조는 윤시영尹始榮으로 신라 무열왕(재위 654~661) 때 태자태사로서 고명원로에 이르렀다고 한다. 윤신달의 용연 옥함전설에 등장하는 윤온 할머니가 어쩌면 칠원 윤씨일지도 모르겠다. 그러나 그의 아들 윤황 이후의 기록은 없어서 알 수가 없다고 하는데, 그러다 후손 윤거부尹鉅富가 고려 초 칠원현에서 호장보윤을 지내고 칠원백에 봉해지면서 후손들이 칠원(경남 함안)을 본관으로 삼고, 윤거부를 중시조 1세로 하여 세계世系를 잇고 있다.

윤신달과 발해

파평 윤씨의 시조 윤신달의 고려 망명과 관련된 사료나 증거는 그 어디에도 없다. 다만 그의 등장 시기가 발해의 멸망과 이어 고려의 개국, 후삼국 통일이라는 역사적 사실과 맞닿아 있을 뿐이다. 그가 신라의 토착세력이 아니라면 역사적으로 그를 등장시킬 수 있는 나라는 발해밖에 없다.

고구려의 전통을 이어 받아 건국한 발해는 대제국이었다. 영토가 고구려 전성기의 약 2배였으며 통일신라의 약 5배에 달했다. 숙적인 당나라에서조차 해동성국海東盛國이라 부를 만큼 '바다 동쪽에 있는 발전한 나라' 였다. 그런 발해가 건국 228년째 되던 서기 926년, 거란의 침입을 받고 불과 10여 일 만에 멸망했다. 광활한 영토를 개척하고 문물이 융성했던 발해가 왜 그처럼 순식간에 멸망한 것일까? 그리고 나라가 망하기도 전에 왜 그토록 많은 사람들이 남쪽으로 내려와 고려로 망명했던 것일까? 이 물음에 대해 여러 추론이 있지만 내분설과 백두산 폭발설이 현재로선 가장 유력해 보인다.

먼저 내분설을 보자. 발해 멸망을 살필 수 있는 기록은 『요사遼史』 뿐이다. 『요사』 야율우지전에 "거란 태조가 발해의 민심이 멀어진 틈을 타 싸우지 않고 이겼다先帝因彼離心乘而動故不戰而克" 라는 기록이 있는데 발해 멸망에 대한 연구는 이 기록과 함께 진행되었다. 즉 발해는 대인선大諲譔(재위 906~926) 통치시기에 내분으로 우왕좌왕하던 중 거란의 대대적인 공격을 받고 허무하게 멸망했다는 것이다. 내분설은 현재까지도 큰 영향력을 발휘하고 있다.

그러나 이 내분설을 뒷받침할 근거는 어디에도 없다. 내분설의 유력한 근거가 되는 것으로는 『고려사』에 등장하는 발해민의 고려 망명뿐인데, 고려 태조 8년(925) 이후 각계 각층 발해민의 망명, 특히 고관과 무관직의 주요 인물들이 대거 망명한 기사가 보인다. 곧 발해 멸망 직전에 발해 지도층 내부에 분열이 일어나 민심이 이반된 가운데 일부가 고려로 망명했으며 이 틈을 이용한 거란의 기습적이고도 대대적인 공세에 결국 발해가 멸망하였다는 주장이다. 윤신달도 이 무렵에 고려로 망명하지 않았을까 추측하고 있다.

내분설 못지 않게 강력한 추론이 백두산 폭발설이다. 우리는 백두산 천지가 화산 폭발로 생긴 칼데라Caldera 호수임을 잘 알고 있다. 그러나 백두산이 언제 폭발했으며 그로 인한 역사변동의 사실에 대해선 아는 것이 별로 없다. 기록이 없기 때문이다. 발해 멸망이 백두산 폭발과 직·간접적으로 관련이 있다면 기록은 더더욱 남아 있지 않을 가능성이 높다.

이에 대해 10여 년 전 부산 모방송국의 진재운 기자가 『백두산에 묻힌 발해를 찾아서』라는 제목의 책을 출간했는데 이 책에서 저자는 백두산 화산 폭발을 거부하는 역사학자들에게 "기록과 문헌이 없다고 해서 역사가 아니라고 말할 수는 없다"고 일갈한바 있다.

백두산 폭발은 엄연한 역사적 사실이며 기록은 없지만 과학적으로 분석 가능한 흔적이 남아 있다는 것이다. 화산학자들이 백두산에서 날라온 퇴적층과 함께 화산폭발에 이은 화쇄류에 묻혀버린 탄화목에 대한 연대를 측정했는데 그 결과 백두산 폭발 시기는 서기 934년 전후와 937년 전후, 그리고 946년 전후일 가능성이 높다는 분석을 내놓았다. 이 시기는 발해가 서기 926년에 멸망했다는 『요사』의 기록과 비교했을 때 발해가 멸망한 후 짧게는 8년, 길게는 20년 뒤가 되므로 발해의 멸망과 백두산 폭발과는 직접적인 연관이 없다는 것이다.

그러나 화산학적 연구는 발해의 멸망과 관련하여 몇 가지 유의미한 사실을 밝혀주고 있

다. 백두산 화산재가 쌓인 일본 아오모리青森현 오가와라小川原 호수의 퇴적물을 조사한 결과 서기 923~925년 사이의 퇴적층에서 한랭한 지역에서 사는 식물성 플랑크톤인 규조류가 확인되었다고 하는 것이 그것이다. 이는 그 기간 동안에 발해가 급격한 기후강하로 인한 매우 심각한 냉해를 겪었다는 증거라는 것이다. 또한 『요사』에서는 "발해 땅이 오지여서 통치하기가 어려웠다"고 하면서 발해 정복 후 상경용천부(흑룡강성 목단강)에 세웠던 동란국東丹國을 2년 만에 발해의 수도인 중경현덕부(동평의 고구려 장안성)로 옮겼으며 더불어 발해 멸망 직후와 중경현덕부로 동란국이 천도했을 때 9만4천여 호, 약 50만 명의 발해 백성들을 강제이주시켰다는 기록이 있다. 이주 후에 마을(현)을 폐쇄했다고 하여 이를 폐현廢懸이라 불렀는데 거란이 폐쇄시킨 마을은 백두산을 중심으로 압록강, 두만강, 송화강 유역과 동해안의 읍락 및 연해주 지역이라고 기록하고 있다.

위의 내용을 종합하여 추론하면 백두산 대폭발은 서기 934~946년 사이에 일어났을 가능성이 크며, 그 전에 전조현상으로 잦은 지진과 화산재나 가스가 분출되었을 가능성이 높다. 이로 인해 923~925년 사이에 기후가 급강하하여 백두산 주변에 살던 많은 발해인들이 따뜻한 남쪽으로 피신하였고 일부는 국경을 넘어 고려로 망명한 것으로 보인다. 이렇게 어수선한 시기에 거란이 침략하였기에 발해는 제대로 방어를 할 수 없었을 것이다. 거란이 발해 땅에 세운 동란국도 이러한 자연재해 때문에 오래 버티지 못하고 2년 만에 동평(요양)으로 옮겨간 것이 아닌가 생각된다. 결국 거란은 발해 땅을 직접통치하지 못하고 발해인들을 강제 이주시킨 것으로 만족해야 했다. 발해가 거란과의 전쟁에서 제대로 대응하지 못하고 항복한 것은 사실이나 거란이 곧 철수함에 따라 그나마 발해부흥국가를 세울 수 있었던 것이다.

『고려사』를 보면 발해 태자 대광현의 고려 망명기록이 나온다. "발해 세자 대광현이 수만 명의 무리를 이끌고 내투했다. 그에게 왕계王繼라는 이름을 하사하고 특별히 원보元甫라는 관직을 내렸으며 발해 왕실의 제사를 받들게 하였다." 그의 망명 시기는 934년 7월인데 백두산 대폭발 시기와 거의 일치하는 것으로 봐서 발해는 이때를 전후로 그가 주도한 부흥운동마저 와해된 것으로 보인다. 이후로도 약 190년 동안 발해부흥운동은 끊임없이 전개되었고 부흥운동의 부침에 따라 수만 명의 발해 유민들이 고려로 내려왔다. 화산 폭발은 발해의 땅을 황폐한 화산 사막으로 만들었고 더 이상 정착민으로 살아갈 수 없을 정도로 문화와 역사를 송두리째 삼켜버렸던 것이다.

윤관과 동북 9성

발해 멸망 이후 발해 유민들은 요나라와 송나라로부터 여진족이라는 새로운 이름으로 불리며 만주에서 주로 유목생활을 하며 살았다. 동평(요양)으로 끌려가서 요나라(거란)에 동화된 유민들은 숙여진熟女眞이라 불렀고, 요나라에 조공은 했지만 동화되지 않은 유민들은 생여진生女眞으로 불렸다.

요나라는 3차례(서기 993년, 1010년, 1019년)에 걸쳐 고려를 침입했는데 그때마다 숙여진을 주축으로 군대를 편성했으며 이들의 지휘관도 발해 출신이 맡았다. 고려와의 전쟁과 외교에서 숙여진의 역할이 그만

윤관 화상

큼 중요했던 것이다. 생여진 중 일부는 요나라의 지배에 저항하면서 발해부흥운동을 일으켰다. 후발해국(926~?)과 그 뒤를 이은 정안국(938~986), 흥료국(1029~1030) 그리고 고영창이 세운 대발해국(1116년) 등이 발해부흥국가들로 역사에 기록되었다.

생여진 중 또 다른 일부는 고려 천리장성 동북쪽인 동북면에 들어와 농업에 종사하며 정착하는 경우가 많았는데 이들은 고려의 백성으로 편제되기를 희망했으며 실제로 거란이 고려를 침입했을 때 고려의 병사가 되어 전투에 참여하기도 했다고 『고려사』는 전한다. 고려 땅에서 발해 유민들끼리 숙여진의 거란군과 생여진의 고려군으로 나뉘어 싸움을 한 것이다. 이때 망명한 발해 유민들을 『고려사』는 여진인 또는 거란인으로 기록하고 있다.

문종 치세에 동북면을 고려의 주州로 편입시켜 주기를 요청하는 여진인이 급증하자 조정은 이들 친고려 여진 족장들에게 관작을 주어 번병(국경 수비) 역할을 하는 기미주와 귀순주로 삼아 정착하도록 하였다. 그러나 숙종(재위 1095~1105) 때 여진 부락 간에 세력다툼이 일어나 친고려 여진 족장들을 제압한 생여진 완안부가 동북면 하얼빈 지역에서 세력을 확장하자 고려 변방에 직접적인 위협이 되었다. 이에 숙종에 이어 왕위에 오른 예종(재위 1105~1122)은 이들을 몰아내기 위한 여진정벌을 단행하게 되는데, 이 최초의 북벌에 윤관이 등장한다.

윤관은 자신의 고조부 윤신달이 150여 년 전 고려로 망명한 발해인이라는 것을 알고 있었다. 왕건을 도와 고려의 개국과 후삼국을 통일하는데 공을 세운 삼한공신이었음에도 불구하고 자신의 집안이 너무나 한미했던 것이다. 물론 가계가 단계로 이어져온 탓도 있지만 당시 호족들이 가지고 있는 인적, 물적 기반이 전혀 없었다. 이 점이 역설적으로 고려 초기 혼란스러운 권력투쟁에서 살아남게 했는지도 모른다.

집안 내력을 잘 알고 있었던 윤관은 스스로를 고구려의 후예라고 생각하고 젊었을 때부터 우리 겨레의 얼과 넋인 선인-조의선인-화랑정신으로 무장했다. 그리고 고려와 여진족이 하나가 되어야 고구려의 고토를 회복할 수 있다고 굳게 믿었다. 그런 윤관이 여진정벌에 나선 것이다. 서기 1104년, 그의 나이 65세였다.

윤관의 상대는 완안 오아속으로 완안부의 족장이었다. 그는 훗날 요나라를 멸망시키고 금金나라를 세운 완안 아골타의 친형이다. 『금사金史』 세기에서는 이들 형제의 조상을 '고려인 함보金之始祖諱函普初從高麗來'라고 기록해 놓았는데 완안 오아속과 아골타는 함보의 8대손이 된다고 한다. 또 『금사』에 발해와 여진을 '본동일가本洞一家'로 기록해 놓았을 정도로 발해의 후손으로서의 자신들의 정체성을 분명히 하였다. 결국 윤관은 자신과 같은 발해의 후손으로서 친고려적이지는 않지만 거란을 몰아내고 발해와 고구려의 고토를 회복하기 위해 세를 불리고 있었던 생여진 완안부와 힘겨운 싸움을 해야 했던 것이다.

1104년 임간林幹이 출정하여 완안부와 벌인 첫 번째 전투에서는 고려가 크게 패배하였고 이어 윤관이 출정하여 벌인 전투에서도 전세가 불리하여 화친을 맺고 돌아왔다고 『고려사』는 전한다. 윤관은 패배의 원인이 군사의 편제에 있음을 알았다. 고려군이 보병 위주의 군대였다면 완안부는 기병 위주의 군대였던 것이다. 그는 숙종에게 별무반이라는 특수부대의 창설을 건의하였고 재가를 받았다. 곧 기병인 신기군神騎軍과 보병인 신보군神步軍 그리고 승려들로 구성된 강마군降魔軍이 꾸려졌다. 한시적인 군대였지만 훈련의 훈련을 거듭하여 정예군으로 거듭났다.

마침내 1107년(예종 2) 12월 1일, 윤관과 오연총吳延寵은 17만 대군을 거느리고 서경(요양)을 출발하여 여진정벌에 나섰다. 사실 17만 대군이라면 지금 시점에서도 엄청난 병력이다. 단순히 변방의 여진 부락을 점령하여 완안부를 무력화시키기 위한 병력이라기보다는 고려의 오랜 숙원이었던 북방영토 즉 고구려, 발해의 고토 회복전쟁이 아니었나 생각된다.

5개월여에 걸친 정벌의 결과는 성공적이었다. 135개의 여진 부락을 점령하였고 그 지역에 9성을 쌓은 후 1108년 4월에 개경으로 돌아왔다. 그러나 곧바로 완안부가 강력하게 저항해 옴에 따라 윤관과 오연총은 다시 출정하여 1년 넘게 전투를 벌어야 했다. 그러나 좀처럼 전세가 호전되지 않았으며 오히려 9성 중 길주와 공험진을 완안부에게 빼앗기는 수모를 당하기도 하였다.

그러던 중 완안부에서 9성을 돌려주는 조건으로 화친을 청해오자 고려에서도 이를 수락하였는데, 완안부의 집요한 공격에 오랫동안 대치하면서 인적, 물적 손실이 너무 컸고 향후 거란과도 다툴 수 있다는 여론에 따라

1109년 7월, 9성을 돌려주고 별무반을 철수시켰다. 이로써 윤관의 북벌에 대한 도전은 좌절되었고 고구려의 고토 회복은 완안 오아속의 뒤를 이은 완안 아골타의 몫이 되었다. 이에 대해 신채호는 『조선사연구초』 「조선 역사상 1천년 이래 최대사건」이라는 논문에서,

> 금사金史를 살펴보면, 이때 여진군의 참모장參謀長은 후일의 금태조金太祖였다. 거란은 점점 쇠약해지고 여진이 발흥하던 때이니, 만일 예종이 초지를 굳게 지켜 한때의 곤란을 잊고 윤관을 전적으로 믿고 맡겼더라면 고려의 국세國勢가 갈수록 홍성하여 후세에 외국에게 정복당하는 치욕을 면할 수 있었을 뿐만 아니라, 곧 거란을 대신하여 흥한 자는 금金이 아니라 고려였을지도 모르는 일이었다.

고 안타까워했다. 이만한 숫자의 병사를 체계적으로 조직하고 훈련하여 북벌을 시도한 사례는 이후 우리 역사에서 찾아볼 수가 없기 때문이다. 이때 수성守城 하지 못한 만주는 더 이상 우리 역사의 주무대가 되지 못하고 그 땅에서 정복왕조를 세운 여진족과 몽골족의 강역이 되었다가 1949년 중국의 영토로 편입되어 일부는 현재 동북3성으로 불리고 있다.

만주를 꿈꾼 3윤의 북로역정

윤관의 아들로 여진정벌 전쟁에 참여하여 만주 벌판을 누볐던 윤언이는 북벌을 평생 화두로 삼고 살았다. 그의 북벌은 고구려 계승을 건국이념으로 삼은 두 나라-고려와 금나라의 관계에서 고려가 우위를 차지하는 것

이었다. 고려가 동북 9성을 돌려줌으로써 흥기興起할 수 있었던 여진족의 금나라가 중원中原을 차지하여 황제의 나라가 되었다면 고려 또한 황제의 나라라 칭함이 마땅하며 고구려의 고토인 만주는 고려가 계승하는 것이 역사적으로 정당하다는 논리였다.

윤관의 후손인 윤휴도 윤언이와 비슷한 논리로 북벌을 주장하였다. 병자호란 이후 조선 사대부들이 존명주의 내지는 존주주의가 바탕이 된 명분론적 사대주의의 연장선에서 명나라와의 의리를 강조하며 북벌을 주장했다면 윤휴는 조선이라는 국가의 역사적 정당성을 확보하는 차원에서 북벌을 추진해야 한다고 주장했다. 고려시대와 달리 오직 징벌과 정벌의 대상이었던 여진족이 청나라를 세워 입관入關 하였으므로 이번 기회에 무주공산이 된 만주 벌판을 정복하여 역사적 정당성을 세우자는 것이 윤휴의 북벌이었다.

윤내현의 북벌은 역사적 진실 회복이었다. '고조선 요동설'로 요약되는 그의 주장은 한국 고대사를 왜곡하고 말살하는데 앞장섰던 일본의 관변 학자들과 그들이 양성한 한국의 주류 역사학자들이 여전히 주장하고 있는 '한사군 한반도설'을 정면으로 반박하는 논문을 발표하면서 시작되었다. 만주 벌판이 우리나라 고대사의 주무대였음을 논증하며 고대사의 지평을 넓혀온 그의 학문적 성취는 일본, 중국과 100년 동안 벌이고 있는 역사전쟁에서 큰 힘이 되고 있음은 물론이다.

이제 북녘 땅을 회복하고 복원하고자 만주를 꿈꾸었던 이 세 사람의 인생역정과 북로역정을 따라가 보자. 그동안 우리가 몰랐던 혹은 잊고 있었던 역사적 사실과 진실을 그곳에서 만나길 기대하면서.

제1부
윤언이尹彦頤

다시 보는 역사 편지, 고려묘지명

2006년 7월 국립중앙박물관에서 「다시 보는 역사 편지, 고려묘지명」이란 제목의 전시회가 열렸다. 묘지명이란 묘지 주인의 가계와 벼슬, 가족관계, 인품과 주요행적 등을 기록하여 후세에 전하기 위해 무덤 안에 넣은 기록물이다. 주로 점판암 판석에 새겼다. 고려시대에 시작되어 조선시대에 크게 유행하였는데 고려시대의 묘지명이 조선시대의 묘지명보다 훨씬 더 역사적 가치가 크다고 한다. 고려시대의 역사와 삶을 전해주는 자료가 많지 않고 현존하는 고려묘지명들 가운데 대다수가 고려의 역사를 이끈 고려 지배층들 것이어서 『고려사』 등 문헌자료에서는 볼 수 없는 생생한 내용들을 많이 담고 있기 때문이다.

이 전시회에 윤언이와 그의 동생 윤언민尹彦旼의 묘지명이 소개되었다. 윤언이의 묘지명은 일제강점기에 조선총독부에서 입수하여 창덕궁에 거의 방치되어있다시피 보관되어 오다가 1981년 국립중앙박물관으로 이관되었다. 이들 형제의 묘지명처럼 천년 또는 수백년 동안 무덤 속에 있다가 세상에 나온 고려묘지명은 350여 점 정도인데 이장을 위해 파묘하다 발견된 경우가 아니라면 대부분 도굴된 것이다. 윤언이의 묘지명도 일제강점기에 도굴된 것으로 추정된다.

윤언이 묘지명은 김자의金子儀가 지었다. 그는 한림학사 지제고라는 벼슬을 했으며 자금어대를 하사 받았다고 서문에서 밝혔는데 한림학사는 한림원에서 근무하는 정4품 관직으로 외교문서를 작성하고 과거를 관장하며 서적을 편찬하는 일을 하는 관리를 말한다. 그가 자금어대를 하사 받았다는 것은 궁궐을 자유롭게 출입할 비표를 가진 고위관료였음을 뜻한다.

윤언이 묘지명은 두 가지 측면에서 유의미한 기록임을 고증하고 있다. 하나는 사료로서 야사를 기록한 『고려사』의 오류를 입증하고 있다는 점이고 다른 하나는 파평 윤씨와 청송 심씨 간의 400년 산송山訟의 실마리를 제공하고 있다는 점이다. 먼저 사료로서 『고려사』의 오류를 입증한 내용을 보자. 『고려사』 권96 열전 「윤관전」에 부전되어 있는 「윤언이전」에서는 그의 죽음을 다음과 같이 묘사하고 있다

> 윤언이는 문장에 뛰어나 일찍이 『역해易解』를 지어 세상에 전하였고, 나이가 들어서는 불법佛法에 미혹되었다. 늙었다고 물러나기를 청하여 파평에 살면서 스스로 금강거사金剛居士라고 불렀다. 일찍이 승려 관승貫乘과 더불어 불문佛門의 친구로 삼았는데, 관승이 포암蒲菴 하나를 지으니 단지 한 사람이 앉을 만하여 먼저 죽는 사람이 여기에 앉아 죽기로 약속하였다. 하루는 윤언이가 소를 타고 관승을 방문하여 작별을 고하고 곧바로 돌아왔는데, 관승이 사람을 보내 포암으로 전송하였다. 윤언이가 웃으며 말하기를, "스님이

약속을 저버리지 않는구나."라 하고, 드디어 붓을 잡고 포암의 벽에 글을 썼는데, "봄이 오고 또 가을 되니, 꽃이 피고 잎이 지는구나, 동서로 오고 가니, 내 본성 잘 길러냈구나, 오늘 가는 도중에, 이 몸을 돌이켜 생각하니, 먼 하늘은 만 리이고, 한 조각 한가한 구름이네."라고 하였다. 글쓰기를 마치자 포암에 앉은 채로 죽었다. 윤언이는 재상의 자리에 있으면서도 국가의 풍속을 교화하는 것을 생각하지 않고 감히 괴이하고 이상한 행동을 하여 어리석은 속인俗人을 미혹하게 했으니 식자들이 비난하였다.

한편 윤언이 묘지명에는 그의 마지막 모습을 이렇게 기록했다.

황통皇統 8년(의종 2, 1148)에 임금이 바야흐로 덕망이 높은 원로에게 정권을 맡기고자 하여, 12월에 조서를 내려 공을 은청광록대부 정당문학 판상서형부사銀靑光祿大夫 政堂文學 判尙書刑部事로 삼았다. 내려진 은혜가 두터웠으므로 공은 공손히 절을 하고 머리를 조아리며 사양했으나 받아들여지지 않았다. 이에 관직에 나가 도를 논하고 음양을 고르게 다스려서, 나라 안으로는 백관을 바로잡고 나라 밖으로는 사이四夷를 다스려서 왕도가 다시 행해지니, 만세萬世에 끝없는 아름다움을 이루었다. 이듬해에 중군병마판사 겸 동북면행영병마판사中軍兵馬判事 兼 東北面行營兵馬判事를 더해 주자, 이에 삼군三軍을 새로 조직하여 병사들을 훈련시켰다. 얼마 있다가 형혹성熒惑星, 火星이 남두南斗를 범하자, 식자들은 모두 상부相府에 반드시 일이 있을 것이라 하였다. 공이 9월 3일 군영에서 일을 보려고 문을 나섰으나 몸이 아주 좋지 않아서 곧 다시 돌아와 부인과 조용히 이야기를 나누다가 돌아가셨다. 광제사廣

濟寺에 빈소를 마련하니, 나이 60세이다. 임금이 듣고 매우 슬퍼하여 사흘 동안 조회를 멈추고 담당 관리에게 명하여 장례를 돕게 하고, 은청광록대부 수사공 중서시랑평장사 판상서형부사 주국銀靑光祿大夫 守司空 中書侍郞平章事 判尙書刑部事 柱國을 추증하였다.

고려시대 묘지명을 연구한 한림대 김용선 교수는 「고려묘지명의 자료적 특성」이라는 논문에서 "당대에 만들어진 묘지명 기록은 후대에 편집된 사서보다 훨씬 더 정확하고 양질의 정보를 제공해 준다"며 "편찬자인 사관의 입장이 개입될 수 있는 정사류正史類 사서보다 묘지명은 개인의 내면세계나 당시의 사회를 보다 더 정확하게 보여주는 역할을 한다"고 강조하고 있다. 즉 묘지명의 기록을 통해 기존 사서의 오류도 바로 잡을 수 있다는 것이다.

일례로 위 『고려사』 열전에서는 윤언이가 죽기 직전에 썼다는 시 한편을 실려 있는데, 이 시를 지은이는 윤언이가 아니라 동생인 윤언민이라 한다. 윤언민의 묘지명에 이 시가 수록되어 있다. 1254년에 최자崔滋가 지은 시화집 『보한집補閑集』에 실려 있는 윤언민의 시를 『고려사』 「윤언이 열전」에 그대로 옮겨 적은 것으로 보인다.

春復秋兮 花開葉落 봄 지나 다시 가을되니 꽃 피는가 싶다가 어느덧 낙엽지네
東復西兮 善養眞君 동에서 서로 가고 또 가는데 내 본성이나 잘 기르리로다
今日途中 反觀此身 생사 도중에 선 오늘 이 몸 다시 돌이켜 보니
長空萬里 一片閑雲 아 모든 것이 만리 장공의 한 조각 한가한 구름이로세

또한 윤언이가 벼슬에서 물러나 고향에 은거하면서 포암에 앉아 죽었다며 괴이하고 이상한 행동을 하여 식자들이 비난하였다는 『고려사』 열전 기록도 다분히 작위적으로 작성된 것이 아닌가 생각된다. 그의 묘지명 기록처럼 그는 군영에서 병사들을 훈련시키다 몸이 좋지 않아 귀가했으며 부인과 이야기를 나누다 조용히 숨을 거두었을 가능성이 높기 때문이다. 이러한 이유로 『고려사』를 일부 사관들이 왜곡 조작한 기록에 근거하여 편찬한 것으로 의심받고 있다.

다음으로 400년 산송의 실마리를 제공한 내용을 보자. 〈파평윤씨-청송심씨 '400년만의 화해' 새국면〉라는 제목으로 보도한 2006년 8월 16일자 《경향신문》의 기사내용이다.

> 파평 윤尹씨와 청송 심沈씨 양 문중의 묘지 다툼山訟의 핵심이 됐던 경기 파주시 광탄면 분수리의 윤관(1040~1111)의 묘(사적 323호)가 지금의 자리가 아닌 임진강 북쪽 지역일 수 있다는 주장이 나와 파문이 예상된다. 조선시대 묘제 전공자인 김우림 서울역사박물관장은 16일 "최근 윤관의 아들인 윤언이(1090~1150)의 묘지명을 확인하던 중 이 같은 사실을 알게 됐다"고 밝혔다. 김관장은 "윤언이 묘지명의 뒷면 끝 부분에는 경오년(의종 4, 1150) 4월 14일 임강현 용봉산 숭복사 동쪽 기슭에 유골을 장례 지내니, 아버지 시중 문숙공의 능침과 같은 경내이다庚午四月十四日葬骨于臨江縣龍鳳山崇福寺東麓乃王父侍中文肅公陵寢一境內라고 적혀 있다"고 밝혔다. 김관장은 "묘지명에서 말하는 임강현(윤관과 아들 윤언이의 묘가 있는)의 위치가 『신증동국여지승람』 등의 자료에 따르면 고려 때는 개성의 속현이었다

가 조선 태종 14년에 장임현, 이후에는 장단長湍으로 됐다"며 "결국 (윤관의 묘는) 임진강 아래의 지금 파주지역이 아니라 임진강 북쪽, 지금의 민통선과 북한 지역 일대로 보인다"고 말했다. 그는 "묘역이 있던 용봉산, 숭복사 등의 위치에 대해선 현재로서 명확하게 파악하기 힘들어 아쉽다"고 덧붙였다. 윤언이 묘지명은 현재 국립중앙박물관에서 열리고 있는 「다시 보는 역사 편지, 고려묘지명」 기획특별전에 전시 중이다. 김관장의 주장이 최종 확인될 경우 '400년 만의 화해'로 화제가 됐던 양 문중의 최근 합의는 새 국면을 맞게 된다. 또 사적 지정과정에서 이미 학계에 알려진 윤언이 묘지명 등 정확한 근거나 자료를 확인하지 않았다는 문제도 지적될 수 있다. 양 문중은 1614년 영의정 심지원沈之源(1593~1662)이 부친의 묘를 윤관 묘역 바로 위에 조성하면서 산송을 벌여 영조(재위 1724~1776)가 중재하기도 했다. 현재는 윤관 묘역과 인접해 심지원 묘(경기도 기념물 137호) 등 심씨 문중의 묘 19기가 있다. 양 문중은 지난 4월 문화재청의 중재로 윤씨 문중에서 2,500여평의 부지를 제공하고, 청송 심씨 문중은 심지원묘 등 19기를 이장하는 것으로 화해를 했다.

파평 윤씨와 청송 심씨 두 문중의 묘지 다툼은 외국 언론에 소개될 정도로 유명하고 『조선왕조실록』에도 언급될 정도로 뿌리가 깊다. 발단은 영조 40년인 1764년 윤씨 문중 후손들이 심지원 묘역 부근에서 윤관 묘역을 알려주는 비석조각(묘갈) 두어 쪽을 찾아내면서 시작됐다.

애초 윤관의 묏자리 위치를 후손들이 잃어버린 뒤 막연하게 심지원 무덤 밑에 윤관의 무덤이 있다고만 유전되어왔는데, 윤씨 문중이 발견한 묘갈 쪽을 증거 삼으면서 심지원 묘의 이장을 요구하고 나선 것이다. 심씨 문중이 응하지 않고, 쟁송이 사회적 파문으로 번지자 영조는 양쪽을 달래어 각기 묘역 자리를 침범하지 않도록 중재했다. 그러나 1년 뒤 다시 무덤 영역을 놓고 문중끼리 폭력사태가 빚어졌고, 분노한 영조는 두 문중 대표자인 심정최와 윤희복에게 귀양형을 내려 급기야 윤희복이 귀양 중 숨지는 사태까지 벌어졌다고 실록은 기록하고 있다.

이 다툼은 해방 뒤에도 계속되어 자기 문중 묘역을 확대하기 위한 분쟁이 끊이지 않았다. 1967년 두 문중이 서로 묘역 사이에 담을 쌓아 구분하기로 합의했으나 1991년 윤씨 문중이 윤관 묘역 뒤에 높은 곡담과 나무 식재를 쌓아 심지원 묘역을 사실상 가리면서 곡담 높이를 낮추라는 심씨 문중 쪽과 또 다른 갈등이 이어진 바 있다.

그런 곡절을 거쳐 지난 2006년 4월, 천신만고 끝에 두 문중 간의 이장 합의가 나온 것인데 그해 8월에 윤관의 묘가 임진강 아래의 지금 파주지역이 아니라 임진강 북쪽, 지금의 민통선과 북한 지역에 있을 수도 있다는 증거가 나왔다고 언론이 보도한 것이다. 이 기사 때문에 두 문중은 잠시 혼란스러웠다고 한다. 하지만 원래 합의대로 2008년 5월, 19기의 청송 심씨 문중 묘가 모두 이장함으로써 영조도 해결 못한 400년 산송이 마침내 종지부를 찍었다. 윤언이의 묘지명이 모종의 실마리를 제공한 듯했지만 원점에서 다시 쟁송하기엔 두 문중이 너무 지쳤던 것이다.

아버지를 따라 북벌에 나서다

윤관은 슬하에 7남 2녀를 두었다. 윤언이는 윤관의 여섯째 아들로 서기 1090년 윤관의 나이 50에 얻은 늦둥이다. 7남 중 3남인 윤언암尹彦巖(흥왕사 주지)과 4남인 윤언○(성명 미상, 또는 윤언영尹彦榮)은 불가로 출가하여 기록이 없고 장남 윤언인, 차남 윤언순尹彦純, 5남 윤언식尹彦植 그리고 6남 윤언이와 7남인 윤언민의 기록이 『고려사』에 남아 있다.

윤관의 5남 윤언식 묘지명을 지은 김자의가 6남 윤언이의 묘지명도 지었는데, 윤언이의 가문과 입사, 관직생활과 가족 등에 대한 내용이 적혀

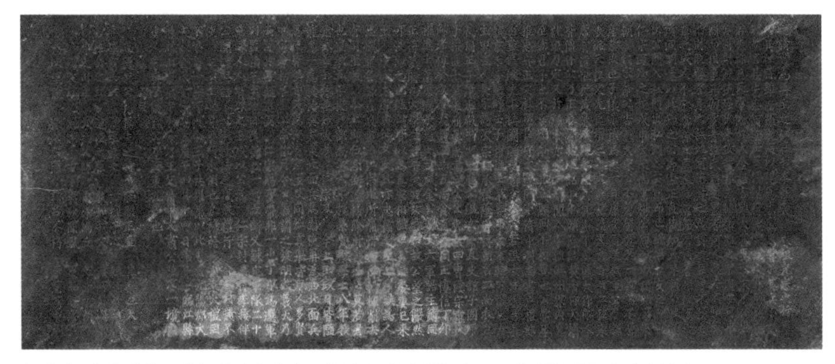

윤관의 6남 윤언이 묘지명. 윤언이의 가문과 입사, 관직생활, 가족 등에 대한 내용이 적혀 있다.

있다.

공은 어릴 때부터 늠름하기가 어른과 같았다. 손에서 책을 떼지 않은 채 배고픔과 목마름과 더위와 추위를 모를 정도였고, 무릇 한 번 본 것은 문득 입으로 외었다. 박학하여 통하지 않은 바가 없어서, 천문天文·지리地理·명서命書에 이르기까지 모두 그 오묘한 이치에 다다르니 속인과 비교하여 말할 수 없었다. 문숙공(윤관)이 돌아보며 말하기를 "반드시 우리 가문을 크게 할 것이니, 내가 다시 무엇을 염려하겠소"라고 하였다.

김자의가 윤언이 묘지명에서 묘사한 윤언이의 성품은 한마디로 어른스러움이었다. 윤관과 오연총이 17만 대군을 거느리고 여진정벌에 나섰던 예종 2년 그의 나이 18세에 부음父蔭으로 벼슬에 올라 동북면 행영병마사가 상주한 바에 따라 사령使令이 되어 함께 출정하였다. 아마도 아버지 윤관을 호종하는 수행 비서역할을 하지 않았나 싶다. 이 전쟁에서 윤언이는 윤관이 지극 정성으로 추구하는 북벌의 의미가 무엇인지 깨닫게 되었다고 하는데 이때의 경험이 훗날 그의 학문과 사상에 지대한 영향을 끼쳤음은 물론이다.

발해 유민이자 고구려의 후예라는 정체성이 분명했던 윤관은 고려와 여진족은 반드시 하나로 통합되어 발해와 고구려의 옛 강토를 되찾고 우리 겨레의 얼과 넋인 선인-조의선인-화랑정신을 회복해야 한다는 신념을 갖고 있었다. 그 신념은 발해 유민인 여진족이 고려의 신민이 되어야 가능한 일이었으므로 윤관은 이를 '지극한 정성'으로 행하고자 하였다. 『고려사』「윤관열전」에서는 윤관의 말을 빌어 "김유신金庾信의 사람 됨됨이를 사모하여 말하기를, '김유신은 6월에 강을 얼게 하여 3군을 건너게 하였으니, 이것은 다름 아니라 지극한 정성일 뿐이다. 나 역시 그렇게 하지 못할 사람이겠는가?'라 하였으니, 지극한 정성에 감응하여 신이한 행적이 여러 번 들렸다." 라고 기록하고 있다. 신채호는 이를 두고 '한여름에 강에 얼음을 얼게 할 정도의 뜨거운 믿음'이 윤관의 인간됨이라고 평했다.

생여진 완안부가 꿈꾼 세상도 다르지 않았다. 발해를 멸망시킨 거란을 만주에서 몰아내고 발해와 고구려의 옛 강토를 회복함은 물론 나아가 중원을 도모하는 꿈을 꾸고 있었던 것이다. 이를 위해 친고려 여진 족장들을 제압하여 여진통합을 이루는 것이 중요했으며 전선을 단속하여 고려와의 관계를 분명히 정립해야 일도 급선무였다. 또한 고려 군대와의 교전을 통해 다양한 전술을 연마하려는 목적도 가지고 있었던 것 같다. 그들은 국체를 잃어버린 망국의 유민들이었지만 결코 만만한 상대는 아니었다.

윤언이 묘지명에서는 이 전쟁에서 윤언이가 활약한 전공을 짤막하게 소개하고 있는데 완안부의 전술이 돋보인 가한촌 전투장면이 그것이다. 가한촌 병목전투는 윤관이 주도한 북벌전쟁에서 가장 치욕적이고 치명적인 패배를 안겨준 전투이다.

> 적이 이미 가한촌을 공격하여 크게 두려워하고 놀랐었는데, 적의 군사가 갑자기 공격해 오자 군졸과 장수들이 궤멸되어 어지러워졌다. 공이 홀로 원수元帥를 모시고 날쌔고 용감하게 적을 쫓아내어 공을 이루니, 담당 관리가 포상을 추천하였다. 원수는 곧 공의 아버지이다.

고려 조정과 윤관은 여진정벌의 핵심을 병목지역을 장악하여 병력과 보급품의 동선을 차단하는 것으로 보았다. 병목지역을 차지하여 적의 부대를 분산시키면 사방으로 흩어질 수밖에 없는 적들은 금방 오합지졸이 될 것으로 판단한 것이다. 9성의 위치도 그런 전술의 일환으로 비정했다. 그러나 '물과 뭍으로 도로가 통하지 않은 곳이 없어' 적들은 다른 지름길을 만들었다. 가한촌 병목전투가 대표적인 예이다. 적들은 다른 길로 병목에 매복했다가 기습공격을 감행했다. 윤관과 오연총의 부대는 순식간에 흩어졌고 두 지휘관은 적들에게 포위되는 절체절명의 위기를 맞았다. 이때 윤언이가 용감하게 나서서 윤관을 구했다는 내용을 묘지명에 기록한 것이다. 그러나 『고려사』 「윤관열전」에서는 이 모든 것을 척준경拓俊京의 공으로 돌렸고 윤언이에 대해서는 아무런 언급도 하지 않았다.

> 이듬해(1108)에 윤관과 오연총이 정예병사 8,000명을 거느리고 가한촌 병목의 작은 길로 나갔다. 적이 나무가 우거진 곳 사이에서 매복하고 있다가 윤관의 군대가 이르기를 기다려 갑자기 공격하니 윤관의 군사가 모두 궤멸되고 간신히 10여 명만 남았다. 적이 윤관 등을 여러 겹으로 포위하였고, 오연총은 화살에 맞아 형세가 매우 위급하였다. 척준경이 용사 10여 명을 이끌고 와서 그들을 구원하려 하였다.

역사가들은 윤관의 여진정벌을 전투에서는 승리했는지 몰라도 실패한 전쟁이었다고 평가한다. 막대한 국력을 쏟아 부은 것에 비해 이룩한 성과가 너무 미비했다는 것이다. 여진족을 만주 북쪽으로 몰아내고 9성을 쌓는 데는 성공했지만 수성을 하지 못했기 때문에 성공한 전쟁이라고 볼 수 없다는 것이다. 『고려사』「윤관열전」에서는 그 이유를 개척한 땅이 너무 넓어서 지키기가 어려웠다고 설명하고 있다.

> 성이 험하고 굳건하여 갑자기 빼앗기지는 않았으나 싸워서 지키는 임무를 맡아서는 우리 병사들을 잃은 것이 또한 많았다. 또 개척한 땅이 크고 넓으며 9성 사이의 거리가 아득히 멀고 시내와 골짜기가 험하고 깊어서 적들이 여러 차례 매복하여 오고 가는 사람들을 노략질하였다.

조정과 예종이 9성을 포기하고 철수를 결정했을 때 윤관은 자신의 신념과 지극한 정성이 저 만주 벌판에 닿지 않음을 알았다. 그 땅의 주인은 고려가 아니었던 것이다. 그의 뜨거운 믿음은 이내 차가운 분노로 변했다. 고려의 모든 병력이 자신의 휘하에 있었기에 딴 마음을 먹을 수도 군사를 일으켜 다른 길을 모색할 수도 있었지만 윤관은 순순히 철수명령에 따랐다. 북벌은 단순히 강역을 넓히는 싸움이 아니었기 때문이었다. 우리 조상들이 남긴 광활한 유산과 정신을 회복할 수 없다면 만주 벌판은 우리의 땅이 될 수 없다는 것을 그는 알고 있었다.

윤언이는 그런 윤관의 지극한 정성과 뜨거운 믿음을 가슴에 새겼다. 북벌은 고구려와 발해의 광활한 유산과 정신이 살아있는 한 언제고 반드시 실현된다는 것을 그 또한 잘 알고 있었던 것이다. 역사학자들은 윤관의 여진정벌을 실패한 전쟁이었다고 평가하면서도 윤관이 고려의 국경을 표시하기 위해 고려지경高麗之境이 새겨진 정계비를 세웠다는 공험진과 선춘령

척경입비도拓境立碑圖, 고려대학교박물관
북관유적도첩에 실려 있는 이 그림은 조선 후기(17세기)에 만들어진 것으로 윤관과 오연총이 여진족을 정벌하고 공험진 선춘령에 '고려지경'이라고 새긴 비를 세워 경계를 삼은 일을 그린 것이다.

拓境立碑
高麗 睿宗朝命守司徒中書侍郎平章事尹瓘爲
行營大元帥知樞密院事翰林學士承旨吳延寵爲副
元帥發兵十七萬稱二十萬擊逐女眞拓地新築六城置
咸福雄英州吉及公嶮鎭遂立碑于先春嶺以爲界嶺
今在鍾城直北七百里碑面有書爲胡人剝去後有人掘其
根有高麗之境四字

척경입비(국경을 넓히고 비석을 세우다) 해석: 고려 예종의 명에 의해, 수사도 중서시랑 평장사 윤관이 행영대원수가 되고 지추밀원사 한림학사승지 오연총이 부원수가 되어 군사 17만 명을 동원했는데 작전상 20만 명이라고 공언公言하며 여진을 쳐서 쫓아내고 영토를 확장한 후 함주, 복주, 웅주, 영주, 길주 및 공험진에 6성을 쌓았고 마침내 선춘령에 비석을 세워 경계로 삼았다. 선춘령은 지금 종성의 정북 쪽으로 700리에 있다. 비면에 글씨가 있었는데 호인胡人들이 깎아버렸다. 후에 어떤 사람이 그 밑을 팠더니 '고려지경'이라는 4글자가 있었다.

의 위치를 알고 싶어 했다.

조선 태종 3년(1403) 명나라 영락제(재위 1402~1424)가 만주 요동에 건주위를 설치하고 이 지역의 영유권을 주장하자 태종은 하륜河崙과 권근權近에게 명하여 고려가 공험진을 차지하고 선춘령비를 세웠음을 조사하게 하였으며 이를 근거로 동국지도東國地圖를 작성하게 하는 한편 김첨金瞻을 명나라에 보내 공험진 이남의 땅은 조선의 관할임을 확인시켰다. 결국 명나라는 공험진 이남의 땅을 조선의 영토로 인정할 수밖에 없었다. 또 『세종실록』 86권에서 세종이 함길도 도절제사 김종서金宗瑞에게 전지하기를,

> 동북지경東北之境은 공험진으로 경계를 삼았다는 것은 말이 전하여 온지가 오래다. 그러나 정확하게 어느 곳에 있는지 알지 못한다. 본국의 땅을 상고하여 보면 본진이 장백산(백두산) 북록에 있다 하나, 역시 허실을 알지 못한다. 『고려사』에 이르기를 '윤관이 공험진에 비를 세워 경계를 삼았다'고 하였다. 지금 듣건대 선춘점에 윤관이 세운 비가 있다 하는데 본진이 선춘점의 어느 쪽에 있는가. 그 비문을 사람을 시켜 찾아볼 수 있겠는가.

라는 기록에서 알 수 있듯이 조선은 세종 21년(1439)에 윤관이 개척한 동북 9성을 체계적으로 조사하였다. 왕명에 의해 조사된 자료는 이후 작성된 『고려사』, 『고려사절요』, 『세종실록』「지리지」, 『용비어천가』, 『신증동국여지승람』 등에 공험진과 선춘령의 위치를 구체적으로 서술하였으며 동북 9성은 두만강에서 북쪽으로 700리 지점에 있다고 기록해 놓았다. 그런

데도 왜 역사학자들은 공험진과 선춘령의 위치를 알고 싶어하고 아직도 그 위치가 확실치 않다고 말하는 것일까?

역사에 관심이 있는 사람이라면 일제강점기에 일본의 식민지배를 합리화하고 한국사를 말살하기 위해 우리의 역사를 상당부분 은폐, 조작, 축소, 왜곡시킨 사실을 잘 알고 있을 것이다. 대부분 광개토대왕비 조작이나 임나일본부설 왜곡 같은 고대사 중심의 역사왜곡이 많을 것으로 예상하겠지만 일본이 가장 많이 왜곡한 우리나라 역사는 바로 고려사라 한다. 특히 영토를 비정하는 과정에서 축소, 왜곡이 심각하다고 하는데 이러한 주장은 고려사를 연구하는 학자들이 주로 제기해 왔다.

고려의 국경을 집중 분석한 논문집 『압록과 고려의 북계』에 따르면 고

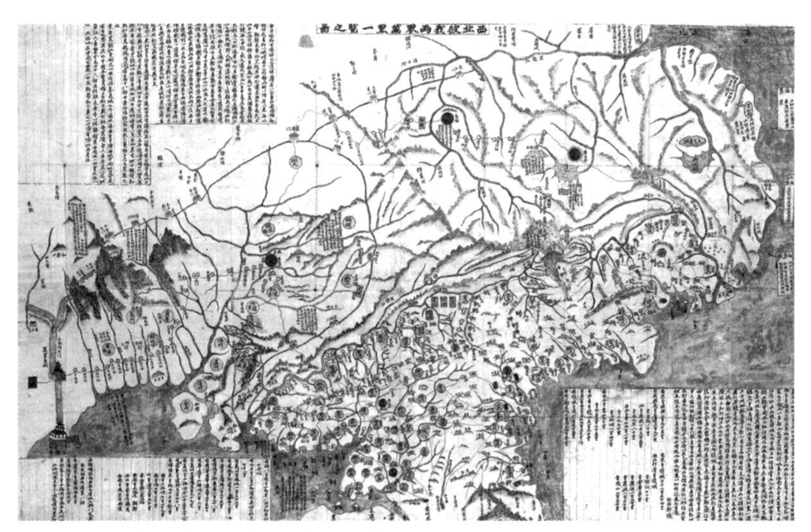

서북피아양계만리일람지도西北彼我兩界萬里一覽之圖. 영조 때 만든 것으로 추정하고 있는 이 지도에는 두만강 북쪽에 선춘령과 고려경이 표시되어 있다. 당시 영토의식이 반영된 지도라는 것이 학계의 의견이다. 보물 제1537호.

려사를 연구하기 위해 반드시 참고해야 하는 『요사』, 『금사』 등에 기록된 고려의 영토는 지금 우리가 알고 있는 영토와 상당히 차이가 있다는 것이다. 동북 9성만 보더라도 일본학자 쓰다 소우키치津田左右吉의 1913년 논문, 이케우치 히로시池內宏의 1921년 논문에서 비정한 함흥평야 일대라는 터무니 없는 주장을 광복 이후에도 우리나라 주류 역사학자들이 그대로 교과서에 기록하여 가르쳤고 나 또한 그렇게 배웠다. 역사를 공부할 때마다 느끼는 것이지만 가르친 사람이나 배운 사람이나 부끄러운 것은 매한가지다.

『압록과 고려의 북계』에 수록된 경북대 이인철 교수의 논문 「고려 윤관이 개척한 동북 9성의 위치 연구」를 보니 옛 문헌에 근거하여 직접 답사한 내용이 지도, 사진 등과 함께 실려 있다. 그가 발품을 팔아 확인한 선춘령의 위치는 현재 흑룡강성 동녕현 도하진 홍석립자촌 남쪽 수분하 건너편으로 중국지도에는 고려령으로 기록되어 있다고 한다. 또한 공험진은 선춘령(고려령)에서 동남쪽으로 직선거리 5km 정도 떨어져 있는 오배산성으로 비정했다. 오배산성은 윤관이 새로 쌓은 것이 아니라 고구려 시기에 옥저인들이 쌓은 것인데 이 성을 수축하여 사용하면서 공험진으로 명명한 것으로 보인다고 했다.

직접 답사하여 주변지형을 살펴보니 공험진은 여진 등의 남하세력을 차단하거나 통제할 수 있는 전략적 요충, 즉 병목지역에 세워진 것이 분명하며 또한 공험진, 선춘령 일대를 장악하면 그 아래로 수분하 유역과 두만강 유역은 물론 연해주의 너른 지역에 대한 통제권도 장악할 수 있을 것 같다고 했다. 생여진 완안부가 9성의 반환을 요구하며 강력하게 저항한 이유도 공험진, 선춘령 같은 전략적 요충지를 빼앗긴 상태에서는 여진 통합은 물론이거니와 나아가 중원을 도모할 수 없다는 것을 너무나 잘 알고 있었기 때문이다.

> 여진은 9성 반환의 은혜에 감격하여 지금부터는 세세 대대로 자손들이 해마다 조공을 바치고 벽돌이나 자갈돌 하나라도 고려 국경 안으로 던지지 않겠다고 맹세하였다. 그 뒤에 여진이 강대하여 대금국大金國이 되자, 비록 고려에 바치던 조공은 폐지하였으나 금나라 대代에는 한 번도 고려를 침입한 일이 없었으니 이는 윤관이 한 번 싸워 세운 공功이다.

신채호는 『조선사연구초』 「조선 역사상 1천년 이래 최대사건」 논문에서 위와 같이 주장하며 윤관의 여진 정벌이 결코 실패한 전쟁이 아니라는 것을 강변하였다. "윤관 때에 사필史筆을 잡은 자가 윤관을 원수처럼 여겼던 김부식의 도당이었으므로 윤관의 전공을 그대로 기록하지 않았을 것이다"며 북벌이라는 대의와 시대정신을 권력투쟁으로 변질시킨 김부식을 비난했다. 도대체 김부식은 왜 윤관과 윤언이 부자를 원수처럼 여겼던 것일까?

김부식과 대립하다

앞에서 언급했듯이 발해에서 망명하여 단계로 이어져온 윤관의 가계는 한미했다. 나중에 윤관의 자식들이 크게 번성하여 문벌귀족 반열에 오르게 되지만 당시만 해도 고려의 기득권층인 왕실외척과 문벌귀족과는 거리가 멀었다. 그런 배경 때문인지 몰라도 숙종은 동생인 대각국사 의천義天과 함께 윤관을 최측근으로 중용했다.

그는 덕을 베풀고 어질게 정치하는 유가적인 군주상과 달리 예를 배제하고 엄격한 신상필벌의 정치를 하는 법가적인 군주상을 지닌 우리 역사에서 보기 드문 왕이었다. 송나라 왕안석王安石의 신법新法을 법치의 근간으로 삼아 부국강병책을 추구한 유일한 개혁군주였기 때문에 그런 평가를 받는 것이 아닌가 생각된다.

숙종은 문종이 이자연李子淵의 세 딸을 왕비로 맞이하여 낳은 13남 2녀 중 셋째 아들이다. 문종이 죽자 장남인 순종(재위 1083)이 왕위를 물려 받았으나 3개월 만에 병사하였고 이어 차남인 선종(재위 1083~1094)이 왕위에 올랐다. 선종이 죽자 그의 아들 헌종(재위 1094~1095)이 11살 어린 나이에 왕위에 물려 받았는데 병약하여 정사를 제대로 돌볼 수가 없어서 어머니인 사숙태후가 섭정을 했다.

그런데 헌종의 외삼촌인 이자의李資義가 사촌간인 사숙태후와 짜고 헌종의 배다른 동생을 왕으로 앉히려 하자 숙종이 그들을 제거하고 스스로 왕위에 올랐다. 왕실을 위협하는 외척세력을 몰아내기 위해 쿠데타를 일으킨 것으로 보인다. 세 딸을 문종에게 시집 보낸 이자연은 인주仁州 이씨이다. 문종을 비롯하여 순종-선종-헌종-숙종-예종-인종으로 이어지는 고려 왕들은 숙종(정주 유씨와 혼인)을 제외하고 모두 이 집안의 딸들을 왕비로 맞았다. 이자연부터 이자겸李資謙까지 3대에 걸쳐 인주 이씨는 왕실의 강력한 외척세력이자 최고의 문벌귀족으로 그 권세가 하늘을 찔렀다.

여기서 윤언이의 묘지명과 함께 소개되었던 윤언민의 묘지명을 보자. 윤언민의 묘지명에는 그의 어머니(윤관의 아내)가 경원군부인으로 이성간李成幹의 딸이라고 기록되어 있으며 또 그의 처 역시 경원군부인으로 이총린 李寵麟의 장녀라고 기록되어 있다. 경원慶源 이씨는 곧 인주 이씨이다. 숙종이 총애하였던 윤관도 당시 강력한 외척세력이자 문벌이었던 인주 이씨 집안과 혼맥을 맺고 있었던 것이다. 이에 대해 윤언식의 묘지명을 해제한 김용선은 인종(재위 1122~1146) 4년 이자겸의 난이 일어났을 때 윤언식이 한 간신의 참소를 받고 거제현 아주로 유배를 가게 되었다는 기록을 주목하며 "그의 어머니와 동생 윤언민의 처가 경원(인주) 이씨 가문 출신이기도 했지만 실상 그는 정치적으로 이자겸 세력에 속해 있었다"고 주장했다.

송나라 사신으로 1123년에 고려에 와서 보고 들은 것을 기록했다는 서긍徐兢의 저서 『선화봉사고려도경』 권8에 "(윤관의 집안은) 대대로 이씨와 통혼하였고 이자겸과 매우 친하였다"는 기록이 있다는 것이다. 이자겸파로 몰려 유배까지 갔던 윤언식은 그러나 처가의 도움으로 곧 풀려나 관직에 복귀한다. 그의 처가가 숙종의 왕비였던 명의태후 유씨 집안이었기 때문이다. 이렇듯 고려의 문벌귀족들은 혼맥으로 서로 복잡하게 얽혀 있었기 때문에 정치적 성향도 상당히 복잡했던 것 같다.

그럼 김부식의 가계는 어떠했을까? 윤관이 고구려의 후예라면 김부식은 신라의 후예이다. 경주 김씨로 신라 무열왕(김춘추)의 후손이라고 한다. 그의 증조부인 김위영金魏英이 왕건에게 귀의해 경주지방의 행정을 담당하는 주장州長에 임명되면서 고려와 인연을 맺었다고 하는데 윤관의 고조부인 윤신달이 30년 동안 경주지방의 행정을 총괄하는 동경대도독으로 재직했으므로 두 사람은 이미 오래 전에 경주에서 함께 근무했을지도 모르겠다.

김부식의 가문이 중앙정계에 진출하기 시작한 것은 아버지 김근金覲 때부터이다. 김근은 과거를 통해 중견 관료인 예부시랑 좌간의대부에까지 올랐으나 젊어서 요절하는 바람에 김부식을 비롯한 5형제는 편모슬하에서 자랐다. 윤언이를 비롯한 윤관의 자식 7명이 집안을 크게 일으킨 것처럼 김부식을 비롯한 김근의 자식 5명도 그의 집안을 크게 일으켰다.

김부식 화상

이렇듯 두 집안은 발해에서 또는 신라에서 망명과 귀의를 통해 고려의 구성원이 된 후 한미한 가문을 일으켜 문벌귀족이 되었다는 공통점을 가지고 있다. 그러나 두 집안은 출신지역의 차이만큼 극명하게 대립되는 차이가 있었는데 그것은 역사인식과 시대정신이었다.

윤관과 윤언이는 고려가 고구려를 계승한 나라라는 역사인식을 가지고 있었으며 북벌을 통해 고구려의 옛 영토를 회복하는 것이 시대정신이라고 보았다. 반면 김부식과 그 형제들은 신라의 문화적 전통을 이어가야 한다는 역사인식을 가지고 있었으며 송나라의 문물과 사상을 따라야 한다는 이른바 모화사상을 시대정신이라고 보았다. 이러한 두 집안의 역사인식과 시대정신의 차이가 권력투쟁으로 변질되면서 갈등을 넘어 대립관계로 발전된 것이 아닌가 생각된다. 『고려사』 권96 열전 「윤관전」에 부전되어 있는 「윤언이전」에는 이러한 관계를 말해주는 내용이 실려 있다.

> 윤관이 왕의 조서를 받들어 대각국사大覺國師의 비문碑文을 찬술하였는데, 뛰어나지 못했으므로 그 문도門徒가 은밀하게 왕에게 아뢰어 김부식으로 하여금 고쳐 짓도록 하였다. 그때 윤관이 상부相府에 있었는데, 김부식이 사양하지 않고 끝내 비문을 찬술하니 윤언이가 그 일로 마음에 원한을 품었다. 어느 날 왕이 국자감國子監에 행차하여 김부식에게 『주역周易』을 강의하게 하고, 윤언이로 하여금 어려운 대목에 대하여 토론하도록 명령하였다. 윤언이가 『주역』에 대하여 매우 밝아 거침없이 따져 물으니, 김부식은 응답하는 것이 어려워 얼굴에 진땀을 흘렸다.

위의 사료는 다분히 개인적이고 감정적인 대립을 보여주고 있는 것 같지만 실상은 훨씬 복잡한 정치적 대립이었다는 것이 두 사람의 관계를 연구한 학자들의 공통된 의견이다. 먼저 대각국사 비문 개찬을 둘러싸고 대립하였다는 내용부터 살펴보자.

윤관과 더불어 숙종의 최측근이었던 대각국사 의천이 입적한 것은 숙종 6년(1101)이었다. 왕명으로 대각국사의 탑비 건립이 결정되자 곧바로 출가 도량인 개성 영통사 서북 쪽에 탑비를 봉안할 경선원을 조성하였고 이곳에 윤관이 찬술한 탑비를 건립하였다. 그런데 그로부터 9년이 지난 1112년에 탑비의 위치가 풍수적으로 좋지 않다는 의견이 제기되어 사찰 남쪽 회랑 바깥으로 옮겼는데 그때 윤관이 찬술했다는 비석이 사라졌다고 한다. 대각국사 의천의 문도들이 종파가 달랐던 윤관이 찬한 비석을 풍수를 핑계 삼아 의도적으로 훼철하지 않았나 생각된다.

여기서 종파란 교종과 선종을 일컫는데 불교 경전에 대한 이해와 그에 따른 깨달음을 중시하고 불경이나 불상과 같은 권위적인 교리나 의식을 강조한 종파가 교종이라면 선종은 참선과 같은 구체적인 실천 활동을 통하여 스스로의 깨달음을 강조하여 교리나 의식을 중시하지 않은 종파라고 할 수 있다.

대각국사 의천 당시 불교계는 교종인 화엄종과 법상종이 주류적인 종파였으며 선종은 제3종단의 위치에 있었다. 화엄종 출신인 의천은 법상종과의 경쟁에서 화엄종의 우위를 확보하기 위해 제3종단인 선종을 포섭하여 새로운 종파인 천태종을 개창했는데 이 과정에서 선종 교단은 개종하여 천태종에 들어간 승려와 원래의 선종을 고수하려는 승려로 양분되었고 급기야 천태종과 조계종으로 나누어지게 되었다.

윤관은 두 아들을 출가시켰을 만큼 불심이 깊었다. 그리고 그를 비롯하여 그의 집안은 선종에다 원래의 선종을 고수하려는 조계종파였다.

그런 까닭에 의천을 따라 천태종으로 개종한 승려들은 윤관이 찬술한 비석에 새겨진 문도들의 명단에 불만을 가졌던 것 같다. 그럼 김부식으로 하여금 비문을 개찬하도록 은밀하게 왕에게 아뢰었다는 문도는 누구를 말하는 것일까? 많은 학자들은 의천의 제자인 혜소惠素를 꼽고 있는데 그가 김부식과 밀접한 교유관계를 유지하고 있었기 때문이다.

다음은 김부식이 개찬했다는 대각국사 비문의 일부이다.

> 국사國師가 일찍이 신臣의 선형先兄 석현담釋玄湛을 불러 놀기를 아주 즐겁게 하였으니 그때에 서로 아는 친분이 종자기鍾子期와 백아伯牙의 교분뿐이 아니었다. 신이 이로 말미암아 한번 뵙게 되었는데 그 얼굴빛이 청수하여 마치 청천백일靑天白日과 같았다. (중략) 뒷날 국사가 칭찬하기를 "담사湛師의 아우 또한 재사才士로다" 하였다. 그런지 얼마 아니 되어 국사가 입적하였다. 아! 선비가 진정 자기를 알아 주는 사람을 위해서는 설사 죽음도 할 수 있는 것이요, 비록 머리를 길게 펴서 밟고 가게 하더라도 또한 기꺼워하고 사모할 바이거늘 하물며 문자로서 비석 아래 이름을 거는 일이야 어찌 영광과 다행이 되지 않으리오.

위 비문에는 의천이 김부식의 선형인 석현담을 불러 놀기를 아주 즐겁게 하였다는 내용이 나온다. 김부식은 형인 현담을 통해 의천을 만나 재사才士라는 칭찬을 들었던 모양이다. 두 사람의 나이 차이가 스무 살인 점을 감안하면 의천은 46세, 김부식은 26세 즈음이었다. 김부식은 자신을 알아

주었던 의천에게 보답하기 위해 의천이 천태종을 개창하고 선종의 승려들에게 귀의를 권했을 때 이를 단호하게 거절하고 대항한 선종교단 고수세력을 비판하는 내용을 비석에 실었다. 대표적인 인물이 원응국사 학일學一이었다. 그런데 학일이 입적했을 때 그의 비문을 윤언이가 지은 사실에서 알 수 있듯이 의천-김부식, 학일-윤언이의 대립구도는 정치권력과 종교권력의 경계가 모호한 고려사회에서 권력투쟁의 한 방편이었던 것이다.

어떤 종파에서 왕사王師를 배출하느냐에 따라 종파의 운명이 갈렸는데 윤관이 상부에 있었던 예종시대엔 대체로 선종이 우세하였고 김부식이 득세했던 인종시대엔 교종이 우세하였다. 김부식이 대각국사의 비문을 개찬한 시기인 1125년(인종3)에는 윤관이 생존해 있지 않았으므로(1111년 예종 6년에 사망) 윤관이 상부에 있었다는 『고려사』 권96 열전 「윤관전」의 내용은 두 사람의 대립을 강조하기 위해 너무 비약한 것이 아닌가 생각된다.

다음으로 『주역』 논쟁을 살펴보자. 이 논쟁 역시 개인적인 감정 차원의 논쟁이 아니라 정책을 두고 벌인 치열한 논쟁이었다는 것이 학계의 주장이다. 『고려사』 권96 열전 「윤관전」의 내용은 『고려사』 권16 인종11년(1133) 5월의 기록과 같은 내용이다.

> 숭문전崇文殿에 나아가 평장사平章事 김부식에게 명해 『주역周易』과 『상서尙書』를 강론하게 하고 한림학사 승지翰林學士 承旨 김부의와 지주사知奏事 홍이서洪彝敍, 승선承宣 정항鄭沆, 기거주起居注 정지상鄭知常, 사업司業 윤언이 등으로 하여금 토론하게 하였다.

인종이 숭문전(국자감)에 행차하여 김부식에게 『주역』과 『상서』를 강의하도록 하고 배석한 김부의, 홍이서, 정항, 정지상, 윤언이로 하여금 토론(어려운 질문)을 하게 하였다는 것인데 단순한 주역의 해석이 아니라 국내외 정세를 분석하고 대응책을 논의하는 자리에서 주역의 해석이 모종의 역할을 했을 가능성이 높다는 것이다.

당시 조정에서는 송·요나라의 쇠락과 금나라의 부상 등 여러 가지 국내외 정치현안을 해결하기 위해 음양설과 도참사상을 바탕으로 서경천도, 칭제건원, 금국정벌 등으로 대응하자는 주장과 서경천도는 절대 불가하며 금나라의 흥기興起를 인정하고 사대해야 한다는 주장이 서로 첨예하게 대립하고 있었다. 인종이 의도적으로 서경천도와 칭제북벌론을 반대하던 김부식, 김부의, 정항과 칭제북벌론을 강력히 지지하는 홍이서, 정지상, 윤언이 등 당시 조정의 최고 실력자들을 동수로 참석시켜 치열하게 정책논쟁을 하게 했던 것이다. 아마 이 논쟁에서 인종이 칭제북벌론자들의 손을 들어 주었기에 김부식이 진땀을 흘리지 않았나 생각된다.

칭제북벌론稱帝北伐論이란 금나라처럼 고려도 독자적인 연호를 사용하는 황제국임을 선포하고 고려의 왕도 황제라 불러야 한다는 논리이다. 또한 고려가 고구려를 계승한 나라이니만큼 고구려의 옛 영토를 회복하기 위해 전쟁도 불사하는 북벌을 해야 한다는 논리가 복합된 것이다. 한마디로 더 이상 금나라에 조공과 책봉 같은 사대를 하지 말자는 것이다. 이러한 논쟁은 이미 8년 전인 인종 3년(1125)에도 논란이 된 적이 있었다. 당시 금나라에 보낸 국서에서 고려가 신臣이라 하지 않고 황제라 표현한 것을 구실로 삼아 금나라에서 고려 사신의 입국을 거부하며 신하의 예를 갖추라고 압박해 왔다. 그때 김부의가 사대를 강조하며 올렸다는 상소가 『고려사』 권97 「김부의 열전」에 실려 있다.

> 신이 살펴보건대 한漢나라는 흉노凶奴에게, 당唐나라는 돌궐突厥에게 혹은 신하라 일컫고 혹은 공주公主를 시집 보내기도 하면서 무릇 화친和親을 위해서라면 무슨 일이라도 했습니다. 지금 송나라도 거란契丹과 서로 백숙형제伯叔兄弟가 되어 대대로 화통和通하고 있습니다. 천자의 존엄으로서 천하에 대적할 것이 없는데도 오랑캐의 나라에 굽혀서 섬기니, 이것은 이른바 '성인聖人이 권도權道(임시방편)로써 도를 이룬다'는 것으로 국가를 보전하는 좋은 계책입니다.

이에 대해 윤언이가 홀로 간쟁하여 말했다는 내용이 김자의가 지은 윤언이 묘지명에 실려있다.

> 임금이 환난을 당하면 신하는 수치를 당하게 되는 것이니, 신하는 감히 죽음을 아끼지 않습니다. 여진은 본래 우리 나라 사람들의 자손이기 때문에 신복臣僕이 되어 차례로 임금께 조공을 바쳐왔고, 국경 근처에 사는 사람들도 모두 우리 조정의 호적에 올라있는 지 오래 되었습니다. 우리 조정이 어떻게 거꾸로 신하가 될 수 있겠습니까.

국가 보존을 위해서라면 오랑캐라 할지라도 사대를 해야 한다는 김부의의 주장은 당시 권력을 잡고 있던 지배층들의 공통된 생각이기도 했다.

결국 이 논쟁은 변란을 일으켜 궁궐을 불태우고 왕을 유폐시킨 후 권력을 잡은 이자겸이 칭신稱臣하기로 결정함에 따라 금나라와의 관계가 형제관계에서 군신관계로 격하되었던 것이다. 그러나 이자겸이 제거된 후 그가 결정한 정책들이 부정되면서 금나라와의 관계를 새롭게 정립해야 한다는 것이 그날 토론의 주요 쟁점이었던 것 같다.

요즘도 조공과 책봉과 같은 사대를 실리외교라는 주장하는 학자들이 꽤 있다. 중국으로부터 한자와 유교, 불교 등을 전수받아 학문과 지배이념을 확립한 주변국들에게 있어 중국은 언제나 천하의 중심인 천자국天子國이었으므로 주변국들은 중국의 연호와 책력을 받아 사용하고 왕권을 책봉이라는 형식을 통해 보장받는 대신 정기적으로 사신을 보내 조공을 바치는 동맹의례를 행하는 것이 동아시아의 질서였다는 것이다. 즉 조공과 책봉은 상하 종속관계를 의미하는 것이 아니라 의례적이며 상호 의존적인 국제질서였다는 설명이다. 그러나 그러한 국제질서도 피차 힘의 균형을 이루어야 유지되는 것이었으므로 반드시 의례적인 것만은 아니었을 것이다.

어쨌든 김부식과 윤언이는 같은 유학자 관료였으면서도 여러 면에서 대조적인 관계를 이루면서 대립하였다. 고려사회가 치국治國의 도리로서 유학을, 수신修身의 근본으로서 불교를 사상의 양대 주류로 삼아 왔다는 점을 감안하면 두 사람은 역사인식, 시대정신과 더불어 사상적인 측면에서도 많이 달랐던 것이다.

윤언이가 말년에 스스로 '금강거사'라 칭하며 무위의 삶을 추구하는 도가道家적인 삶을 지향했다면 김부식은 끝까지 자신에게 엄격한 예의 형식과 정신을 지향했다는 점도 삶의 향방이 전혀 다른 두 사람의 성향을 말해 주는 듯하다. 요즘 식으로 표현하면 김부식은 전통, 현실, 형식을 중시하는 보수에 가깝고 윤언이는 개혁, 미래, 내용을 추구하는 진보에 가깝지 않았나 생각된다.

칭제북벌론의 영수

생여진 완안부가 금나라를 건국한 해는 1115년으로 고려가 9성을 돌려준 6년 뒤였다. 1113년, 완안 오아속의 뒤를 이어 족장에 오른 완안 아골타는 동북면의 생여진들을 완전히 통합하였고 1114년부터 항요거병을 감행하여 거란을 타도하고자 군사행동에 돌입하였다. 그리고 마침내 금나라를 건국한 아골타는 불과 2만의 군사로 70만 대군을 이끌고 전장에 나온 요나라 천조제 야율연희를 호보답강에서 격파하고 연경을 함락하는 등 대승을 거두어 사실상 요나라를 멸망시켰다.

이 전투는 세계전쟁사에서 소수의 군사가 다수의 군사를 이긴 기념비적인 전투로 기록되었을 것이다. 여세를 몰아 금나라는 1126년 송나라의 수도 개봉을 점령하고 황제(휘종과 흠종)를 포로로 잡는 등 송나라를 양자강 이남으로 몰아내고 북중국(북송)을 차지했다. 고려가 동북 9성을 돌려주고 철수한지 18년 만에 생여진 완안부는 군사대국이자 천자국에 버금가는 나라로 거듭난 것이다.

이러한 국제정세 속에서 과연 칭제북벌이 가능했을까? 칭제야 군사를 일으키는 것이 아니니까 그렇다 치더라도 막강한 금나라의 군사력을 감안했을 때 북벌을 감행할 만큼 고려의 국력이 금나라에 결코 뒤지지 않았던 걸까? 아니면 묘청妙淸의 주장처럼 서경으로 천도하면 천하를 합병하고 저절로 금나라가 항복해 올 거라고 믿었던 것일까?

앞에서 살펴본 것처럼 윤언이는 고려가 고구려를 계승한 나라라는 역사인식을 가지고 있었으며 북벌을 통해 고구려의 옛 영토를 회복하는 것이 시대정신이라고 보았다. 이를 위해 김유신이 6월에 강을 얼게 하여 3군을 건너게 한 것처럼 지극한 정성과 뜨거운 믿음을 가져야 한다는 윤관의 가르침을 가슴에 새기며 살았다. 그러나 북벌은 고려가 아니라 발해 멸망에 대한 복수심으로 항요거병한 생여진 완안부의 몫이었고 그들이 세운 금나라가 흥기하여 만주를 넘어 중원까지 도모한 상황이었다. 그들은 과거의 발해 유민 완안부가 아니었던 것이다.

그럼에도 불구하고 윤언이에게 있어 칭제북벌은 고려의 위상과 자존심을 세우기 위한 명분과의 싸움이었다. 금나라의 흥기가 고려의 9성 반환에서부터 시작되었고 자신이 그 역사적인 현장에 있었기에 윤언이로서는 충분히 명분이 있는 싸움이라고 생각했던 것이다. 서경에서 군사를 일으키면, 벽돌이나 자갈돌 하나라도 고려 국경 안으로 던지지 않겠다고 맹세했던 금나라는 군사대응에 앞서 칭제북벌의 대한 진위를 파악하고 고려의 요구조건에 대한 협상을 시도할 것이다. 행여 고려가 남송과 연합하여 금나라를 협공하는 최악의 상황도 염두에 두지 않을 수 없었을 것이다. 윤관의 아들이자 칭제북벌론자인 윤언이가 이 협상의 전면에 나서게 되면 윤언이로서는 '금나라가 중원을 차지하는 대업을 이루었으니 고구려의 고토는 응당 고구려를 계승한 고려에게 돌려주는 것이 합당'하며 '양국은 고구려와 발해에서 나왔으므로 군신관계가 아닌 형제의 예로 관계를 맺어야 함'을 당당히 요구할 생각이었다.

인종 14년(1136) 금나라의 태왕태후가 사망하자 윤관의 5남이자 윤언이의 형인 윤언식이 조문사절로 금나라를 방문했던 내용이 윤언식 묘지명에 다음과 같이 기록되어 있다.

> 금나라 사람들이 그의 풍채를 바라보고 모두 손을 이마에 올리면서 탄식하여 말하였다 "이분이 바로 고려 문숙공(윤관)의 아들이구나. 아, 어찌하여 그 뛰어나고 맑은 모습이 이에 이를 수 있단 말인가."

윤관이 사망한 지 35년이 지났음에도 9성을 돌려주면서 보여준 윤관의 장수다운 면모를 그들은 기억하고 있었고 여전히 고마워하고 있었다. 윤언이의 칭제북벌 명분도 이러한 금나라 사람들의 태도에서 기인하지 않았나 생각된다. 그래서일까? 신채호는 『조선사연구초』 「조선 역사상 1천년 이래 최대사건」 논문에서 칭제북벌론의 영수로 단연 윤언이를 제일 먼저 꼽았다.

> 칭제북벌론의 영수들은, 첫째는 윤언이였다. 윤언이는 윤관의 아들로서 유일하게 화랑의 계통이었다. 따라서 그가 칭제북벌론의 영수가 된 것은 너무나 당연한 일이지만, 그가 칭제북벌론을 주장할 때 올린 상소와 건의建議는 『고려사』 본전에서는 모두 삭제당하고, 오직 서경전쟁이 끝난 후 자신을 변명하는 상소문, 즉 자명소自明疏만 게재되어 있어서 후세사람들로 하여금

> 윤언이가 칭제북벌론자의 한 사람이었음만 알 수 있게 할 뿐 그 상세한 내용은 알지 못하게 하였으니, 어찌 가석한 일이 아닌가. 둘째는 묘청이다. 묘청은 서경의 중僧으로서 도참설을 끌어들여 서경에 천도하고 제호帝號와 연호年號를 정한 후 북으로 금金을 정벌하자는 주장을 한 자였다. 셋째는 정지상이다. 정지상은 7살에 벌써 "누가 흰 붓을 잡고 강 물결 위에다 을자乙字를 써 놓았는가何人將白筆 乙字寫江波" 라는 강부江鳧(강 오리)란 제목의 시를 읊었던 신동으로서 당시에 이름을 날리던 시인이었다.(중략) 이들 세 사람의 칭제북벌에 대한 의견은 동일하나 다만 묘청과 정지상은 서경천도까지 주장하였고, 윤언이는 거기에 동의하지 않았던 것이다.

신채호는 '윤언이가 칭제북벌을 주장하면서도 서경천도에는 동의하지 않았던 것은 과연 탁견卓見'이라 하였는데 '서경으로 천도하면 북쪽 외적에게 매우 가까워져서 만일 적의 기마騎馬가 압록강을 건너는 때에는 도성都城이 먼저 적의 목표가 되므로 서경천도 주장은 엄청난 실책'이라는 것이다. 여기서 서경과 압록강의 위치가 매우 중요한데 고려시대의 서경과 압록강이 위치한 강역이 올바르게 비정되어야 신채호가 왜 이런 주장을 하였는지 이해할 수 있기 때문이다.

지금까지 우리는 고려시대 개경開京은 개성이고, 서경西京은 평양이며 남경南京은 서울이라고 알고 있다. 당연히 현재 한반도에 있는 지명들이다. 그러나 뒤에서 다시 언급하겠지만 평양의 위치가 시대상황에 따라 변했다는 사실이 여러 사료에 나타나고 있다고 학계에서는 주장하고 있다. 이러한 주장은 현재 일부 학계만의 견해가 아니라 이미 600여 년 전부터 주장되어 왔던 것인데 조선 중기까지는 큰 관심을 갖고 있지 않다가 사절단으로 청나라 연행에 참여하였던 실학자들에 의하여 다시 강조되기 시작하였다.

이러한 인식의 변화는 선대 문헌들에 관련 기록이 있었고 이들 기록을 바탕으로 남만주지역을 왕래하면서 확인한 내용을 전제로 하고 있다는 것이다. 그러나 이들의 주장은 일제강점기에 한국사를 말살하기 위해 우리나라 역사를 상당부분 은폐, 조작, 축소, 왜곡시킨 일본 관변학자들에 의하여 무시당하면서 자취를 감추게 되었다.

그러던 것이 역사 연구의 지평이 시공으로 확대되면서 또한 다양한 사료를 섭렵하여 근거를 제시하면서 14세기 이전의 평양과 14세기 이후의 평양 위치가 기존의 인식과 많이 다르다는 것을 입증하는 연구논문들이 속속 발표되었는데 인하대 고조선연구소 평양연구팀이 이러한 연구를 주도하고 있다.

평양연구팀은 앞에서 소개한 이인철의 논문 「고려 윤관이 개척한 동북 9성의 위치 연구」가 수록된 『압록과 고려의 북계』와 더불어 강원대 남의현 교수의 논문 「장수왕의 평양성平壤城, 그리고 압록수鴨淥水와 압록강鴨綠江의 위치에 대한 시론적 접근」이 수록된 『고구려의 평양과 그 여운』이라는 연구총서를 발간하여 축소되고 왜곡된 우리 역사의 강역을 복원하는데 심혈을 기울이고 있다. 이 연구의 키워드는 단연 평양과 압록강이다. 『고려사』 권58 「지리지」에

서는 고려 국경에 대해 언급하고 있는데 서북국경은 압록이고 동북국경은 선춘령이라고 명시되어 있다. 『고려사』가 조선 초에 작성된 사료임을 감안하면 적어도 조선 초까지는 고려의 영토와 강역에 대한 인식이 확실하였던 것 같다.

> 고려 태조는 고구려 땅에서 일어나 신라에게서 항복을 받고 백제를 멸한 뒤 개경에 도읍을 정하였다. 서북은 당나라 이후로 압록을 경계로 하였고, 동북은 선춘령을 경계로 하였다. 서북은 고구려의 지역에 못 미쳤으나 동북은 고구려 영토보다 더 하였다.

압록강 하면 우리는 백두산 부근에서 발원하여 북한과 중국의 서부국경을 이루는 강으로 인식하고 있다. 그러나 남의현은 수·당·요·송·금·원나라 시대의 압록수와 압록강은 명·청나라 시대의 압록강과 전혀 다른 강이며 15세기 이전의 압록수와 압록강은 현재의 요하遼河를 가리킨다고 주장하였다. 그가 제시한 사료는 14세기 이전 압록수와 압록강이 요양의 서북에 위치한다고 기록되어 있는데 오늘날의 압록강은 요양 동남쪽에 위치하고 있고 요양의 서북에는 요하밖에 없으므로 요하가 압록으로 불렀을 것이라고 주장하고 있는 것이다.

사료들을 심도있게 분석한 그의 연구에 따르면 427년 장수왕이 천도한 평양성과 고려시대 1270년에 설치된 동녕부의 동녕東寧, 그리고 평양으로 알려진 고려 초기의 서경西京 등은 모두 같은 곳을 지칭하고 있었으며 『수서』 『신당서』 『구당서』에 기록된 평양성의 위치가 요양과 그 부근이므로 동녕과 서경 또한 당연히 요양과 그 부분이라는 것이 그의 논문의 최종 결론이다.

남의현의 주장대로 14세기 이전의 평양(서경)이 요양이고 압록수, 압록강이 요하라고 비정했을 때 '서경으로 천도하면 북쪽 외적에게 매우 가까워져서 만일 적의 기마가 압록강을 건너는 때에는 도성이 먼저 적의 목표가 되므로 서경천도 주장은 엄청난 실책'이라는 신채호의 주장이야말로 탁견이 아닐 수 없다. 그는 이미 1925년에 《동아일보》에 「평양패수고」를 발표하면서 우리 고대사의 논쟁거리로 남아있는 중요한 역사지리의 문제들이 바로 고대 평양에 대한 올바른 위치비정을 통해서 비로소 해결될 수 있다고 주장했었다. 역사를 보는 그의 안목과 혜안이 그저 놀라울 따름이다.

사실 『고려사』 권58 「지리지」에서 언급한 대로 고려의 국경을 서북-압록(요하), 동북-선춘령(흑룡강성)으로 비정하면 고려의 영토는 지금까지 우리가 알고 있는 강역보다 약 2배 정도 넓어질 것이며 역사의 해석 또한 넓어진 관점에서 다시 서술해야 할 것이다.

서경은 묘청과 정지상의 고향이었다. 발해를 멸망시킨 거란이 발해 땅에 세웠던 동란국을 2년 만에 요양 근처의 동평으로 옮겼을 때 강제로 이주된 발해 백성 중 일부는 고려와 여진으로 도망쳐 갔다는 기록이 『요사』에 남아 있는데 동평 근처 요양엔 고려의 서경인 평양이 있었기에 도망이 수월했을 것이다.

묘청과 정지상의 조상도 윤언이의 조상 윤신달처럼 발해에서 고려로 망명하였거나 거란이 발해 유민을 강제 이주시켜 세운 동란국에서 도망쳐 온 사람들이 아니었을까 추측해 본다. 칭제북벌을 주장한 사람들에겐 뜻을 같이할만한 공감대와 서로간에 이해관계가 통하는 관심사가 있게 마련이기 때문이다. 이런 차원에서 그들이 고구려의 후예이거나 발해 유민이라는 정체성을 공유하고 있지 않았을까 생각한다.

서경인 평양은 또 고구려 후예임을 자처하는 사람들에겐 성지聖地와 같은 곳이었고 늘 마음의 고향이었으며 정신적인 지주로서의 정서가 깔려 있는 곳이었다. 그러한 인식은 고려의 왕들도 일부 가지고 있었는데 대부분 정치적인 목적 때문이었다. 사실 서경천도는 인종이 주도한 왕권강화와 정국반전 정책의 일환이었다. 인종의 의도를 잘 알고 있었던 정지상이 뛰어난 문장력으로 논리체계를 세웠고 신분상 사회적으로 신뢰를 받았던 승려였던 묘청이 앞장서서 추진하며 사람들의 마음을 움직였다.

> 서경의 수덕水德은 순조로워 우리나라 지맥의 근본을 이루고 있어 길이 대업을 누릴 만한 곳이니 사중마다 순수巡狩하여 100일을 머물러 안녕을 이루게 하라.

왕건이 유훈으로 남겼다는 훈요10조 중 5조에 나오는 내용이다. 인종뿐만 아니라 역대 왕들도 이 유훈의 논리를 내세우며 정치적 고비 때마다 서경으로 순행하여 정국반전을 모색했었다. 그러나 고려의 왕 그 누구도 왕권의 근원지인 개경을 떠나 서경으로의 천도할 생각은 하지 않았다. 전가의 보도처럼 필요할 때마다 한번씩 휘둘렀을 뿐이다. 윤언이가 서경천도에 동의하지 않았던 것도 이러한 역대 왕들의 행태를 잘 알고 있었기 때문이었다. 그러나 정지상과 묘청은 인종의 의도를 확대 해석하여 더욱 부회하였고 이것이 소위 묘청의 난으로까지 이어진 것이 아닌가 생각된다.

푸른 소를 타고 불경을 외우는 그림

여진 정벌 실패 후 부국강병책이 현실정치의 벽에 부딪치자 예종은 인주 이씨 가문 이자겸의 둘째 딸과 혼인하는 등 문벌귀족들과 타협했다. 숙종 때부터 이어온 왕안석의 신법정치를 포기하는 대신 왕권을 보장 받는 쪽을 선택한 것이다. 선왕인 숙종이 그토록 경계했던, 외척이 발호하고 문벌귀족들이 득세하는 길을 열어준 것인데, 그 결과는 14살 나이에 보위를 물려 받은 인종 때 나타났다.

자신의 셋째 딸과 넷째 딸을 인종에게 시집 보낸 이자겸은 왕의 외조부이자 장인이 되어 왕권을 능가하는 권력을 마음껏 휘둘렀다. 『고려사』 권127 「이자겸 열전」에 실려있는 내용처럼 이자겸의 권세는 하늘을 찌르고도 남았다.

> 이자겸이 자신의 친족들을 요직에 널리 배치시키고 관작을 팔아 자기 편을 여러 관부에 심어두었다. 스스로 국공國公이라 여기고 왕태자王太子와 동등한 예우를 받았으며 그의 생일을 인수절仁壽節이라 부르고 중앙과 지방에

서 올리는 축하의 글을 전箋이라 불렀다. 아들들이 다투어 지은 저택은 거리마다 이어 있었으며, 세력이 더욱 뻗치니 뇌물이 공공연하게 오가고 사방에서 선물이 모여들어 늘 수만 근의 고기가 썩어났다. 남의 토지를 강탈하고 종들을 풀어 백성들의 수레와 말을 빼앗아 자기의 물건을 실어 나르니, 힘없는 백성들은 모두 수레를 부수고 소와 말을 팔아 치우느라 도로가 소란스러웠다. 또 지군국사知軍國事가 되고자 하여 왕에게 자신의 집에 와서 책봉하여 줄 것을 요청하였으며 시간까지 강제로 정하였다. 그 일이 이루어지지는 않았으나 그 후로 왕은 이자겸을 몹시 싫어하게 되었다.

인종은 이런 이자겸을 제거하기 위해 노심초사하였다. 그러나 그가 선택한 방법은 모두 실패하였고 오히려 반란의 빌미를 줌으로써 궁궐이 불타고 왕이 유폐되는 수모를 겪어야 했다. 3개월간 절치부심한 인종은 마침내 이자겸의 사돈이자 최측근인 척준경을 회유하여 이자겸을 제거하는데 성공한다. 인종 4년, 그의 나이 18살 때였다.

하지만 이자겸을 제거하는 과정에서 왕의 위신은 땅에 떨어졌고 왕권도 무력화되었다. 이에 인종은 측근세력을 구축하여 왕권강화를 도모하려 했다. 그가 가장 신임한 내시로서 이자겸난 때 유배되었던 김찬金粲(훗날 김안金安으로 개명)을 불러들여 전중내급사(종6품)로 삼았다. 문벌귀족은 아니었지만 정치적 수완과 감각이 있었던 김안은 인종의 신임을 바탕으로 측근세력을 규합하여 왕권강화를 뒷받침하고 자신의 입지도 다져나갔다. 이러한 과정에서 정지상과 가까워졌고 더불어 인종과 정지상의 긴밀한 관계로까지 이어졌다. 당대에 정지상은 서경을 대표하는 인물이었다. 과거에 수석 합격한 문사였던 만큼 한문학에 능통한 유학자였지만 불교, 도교에도 식견이 많았다. 정지상을 통해 지리도참의 대가인 묘청과 그의 제자인 백수한이 인종에게 소개되었고 서경천도를 매개로 정국반전의 기회를 모색하기에 이르렀다.

마침내 인종 5년인 1127년 인종은 서경으로 순행하여 김안과 정지상이 기획한 정국반전의 방책을 실천에 옮긴다. 먼저 관정도량을 열어 그것을 주재한 묘청과 백수한의 존재를 세상에 알렸다. 관정도량이란 부처의 오지五智를 상징하는 다섯 병의 물을 머리 위에 붓는 불교의식을 말한다. 이어 정지상의 탄핵상소로 척준경을 전격 제거하였다. 이자겸을 제거하는데 공을 세워 병권을 장악하고 있었던 척준경은 애초에 이자겸을 도와 변란을 일으킨 장본인이었으므로 언젠가는 반드시 제거해야 할 대상이었다. 개경보다는 서경이 그를 제거하는데 용이할 거라 판단하고 서경행차에 동행하게 하였던 것이다.

또 인종은 유신지교라 이름 붙여진 시정방향을 제시했다. 새정치와 민생안정에 역점을 두겠다는 일종의 회유책이었다. 이로써 인종은 서경순행을 통해 이자겸의 난으로 땅에 떨어진 왕권을 회복하고 정국주도권의 동력을 확보하는데 성공하였다. 서경에서의 극적인 정국반전 성공은 19살의 인종에게 시사하는 바가 많았다. 그것은 서경천도와 칭제북벌 같은 정치현안을 잘 활용하면 정국주도권과 더불어 왕권을 강화할 수 있다는 것을 정치세력 간의 대립과 갈등을 통해 터득한 것이다. 앞에서 살펴본 윤언이와 김부식 간의 『주역』 논쟁도 사실은 인종이 왕권을 강화하기 위해 의도적으로 벌인 치열한 정책논쟁이었던 것이다.

다른 하나는 통치의 근본이 되는 합리적 유교사상보다 때때로 지리도참설 같은 음양비술이나 도교적인 정치의식이 치국에 훨씬 효과적이라는 경험한 것이다. 마침 선대왕인 예종 때부터 송나라로부터 본격적으로 도교가 수용되어 궁궐에 도상道像이 설치되어 있었고 경연에서 노자가 강의되기도 하였다. 실제로 예종의 측근 가운데는 처사나 도가의 인물이 많았는데, 곽여郭輿와 은원충殷元忠이 대표적인 인물들이다. 윤언민의 묘지명에도 이러한 시대상을 알게 해주는 일화가 소개되어 있다.

> 관직에 임해서는 재산을 모으지 않고 날마다 푸른 소를 타고 관청에 나가 낮에는 일을 처리하고 밤에는 불경을 외웠다. 인종이 그 실상을 듣고 탄복해 마지 않다가, 직접 그 모습을 그림으로 그리고 그림 위에 자신의 글씨를 더하여 「일장선생이 푸른 소를 타고 불경을 외우는 그림日章先生騎青牛念經之圖」이라고 불렀는데, 온 주의 사람들이 베껴 전하는 일이 성행하였다.(중략) 문숙공文肅公(윤관)은 일찍이 나라를 다스리는 자리에 올라 나가서 장수가 되고 들어와 재상이 되니 큰 공을 세웠다. 집안의 아들과 사위에게 이어져 모두 조정에 가득 찼으나 오직 막내인 일장日章공은 남들과 특별히 달라서, 신선계神仙界에서 노닐며 구속을 받지 않고 더욱이 불교에 뛰어나서 견성見性하고 관공觀空하였다.

윤언민의 묘지명은 방입기邦立基가 지었다. 여기서 일장日章은 윤언민의 자字이다. 노자는 자신의 뜻이 세상에 받아들여지지 않자 푸른 소를 타고 속세를 떠났다고 한다. 이때 함곡관을 지키던 관리가 노자에게 가르침을 청하자 노자는 5천여 마디의 말을 남겼는데 이것이 훗날 도가 경전 『도덕경』이라는 것이며 푸른 소를 타고 떠난 노자의 행적은 속세를 벗어난 삶을 상징하게 되었다. 윤언민의 묘지명을 해제한 김용선이 붙인 제목인지는 모르겠으나 그의 묘지명은 「노자를 흠모한 불교도 관리의 묘지명」으로 소개되어 있다.

아무튼 인종은 정국주도권 장악과 유지를 위해 정지상과 묘청을 최대한 활용하였고 두 사람 역시 서경천도와 칭제북벌의 명분을 십분 활용하여 자신들의 세력을 확대해 나갔다. 그러나 세월 지나 성인이 되고 권력의 속성을 잘 알게 된 인종에게 서경천도와 칭제북벌 세력은 다른 한편으로 경계의 대상이 되었고 정치적 부담으로 작용하였다. 실현 불가능한 명분이기에 국면전환은 몰라도 안정적인 정국운영이 어렵다는 것을 그도 알고 있었던 것이다.

변곡점은 인종 10년(1132) 2월부터 5월까지 3개월에 걸친 서경순행이었다. 이 시기에 서경천도운동은 절정에 달하였고 찬성세력과 반대세력이 총집결했다. 인종은 여전히 정지상과 묘청에게 호감을 가지고 있었지만 스스로 경계하며 신중함을 유지했다. 김부식과 더불어 서경천도를 극구 반대해온 이지저李之氐에게 자문을 구하고 그의 말에 동의하였다는 기록이 『고려사』 권95 열전 「이자연전」에 부전되어 있는 「이지저전」에 실려 있는데 이때부터 인종의 생각에 조금씩 변화의 조짐이 나타나기 시작한 것으로 보인다.

묘청과 백수한이 근시近侍와 결탁하고 요술妖術로 사람들을 현혹시키자

이지저가 홀로 그들을 배척하며 말하기를, "이 무리들이 반드시 나라를 그르칠 것이다."라고 하였다. 왕이 서경에 행차하니 정지상·김안이 묘청과 함께 속여 말하기를, "대동강에 상서로운 기운이 나타났는데, 이는 신룡神龍이 토한 침으로 천 년 동안 만나기 어려운 것입니다. 청컨대 하늘의 뜻에 순응하여 존호尊號를 칭하시고 금국金國을 누르소서."라고 하였다. 왕이 이지저에게 상의하자 대답하여 말하기를, "금은 강적이니 가벼이 여길 수 없습니다. 하물며 양부兩府 대신들이 개경에 머무르며 지키고 있는데, 한두 사람의 말에만 귀를 기울여서 대의大義를 결정할 수 없습니다."라고 하니, 왕이 그의 말을 따랐다.

인종의 생각을 눈치챈 반대세력들은 이듬해부터 상소를 올려 찬성세력들을 탄핵하기 시작했다. 이중李仲과 문공유文公裕의 상소가 먼저 눈에 띈다. 『고려사절요』 권10 인종 11년(1133) 11월의 기록이다.

직문하성直門下省 이중과 시어사侍御史 문공유 등이 상소하여 말하기를, "묘청과 백수한은 모두 요사스러운 사람들입니다. 그 말이 괴이하고 허탄하니 믿을 수가 없습니다. 근신 김안·정지상·이중부李仲孚, 환자宦者 유개庾開가 그의 심복이 되어 여러 차례 서로 천거하고 그를 가리켜 성인이라 일컬었습니다.(중략) 원컨대 속히 배척하고 멀리하십시오."라고 하였다. 말이 심히 간절하고 곧았다.

또 『고려사』 권98 열전 「임완전」에서는 묘청을 참형에 처할 것을 요청하는 임완林完의 긴 상소가 실려 있다.

> 근일에 괴이하고 거짓된 말이 묘청에게서 크게 일어났는데, 신이 묘청을 보니 오직 간악하고 속이는 것만을 일삼아 임금을 속이니 송宋의 임영소林靈素와 다름이 없습니다. (중략) 하늘의 뜻을 만약 말한다면, "간사한 사람이 임금을 현혹하였는데, 사람은 비록 속일 수 있으나 하늘을 속일 수 있겠는가?"라 할 것입니다. 지난날의 변괴는 하늘이 혹시 폐하께 경계하여 깨닫게 하려는 것일 뿐입니다. 폐하께서는 어찌 한 간신을 아끼어 하늘의 뜻을 거스르려 하십니까? 바라옵건대 폐하께서는 하늘의 강건한 위세를 떨치시어 묘청의 머리를 베어, 위로는 하늘의 경계에 답하고 아래로는 민심을 위로하소서.

인종 12년(1134) 가을, 묘청 등 서경천도 세력의 강력한 요청에도 불구하고 인종은 양부의 뜻에 따라 서경순행을 취소했다. 김부식 등의 반대를 받아들인 것이다. 묘청은 위기의식을 느꼈다. 당장 서경천도가 이루어지지 않으면 목숨도 보존하기 어려운 심각한 지경이었다. 인종 13년(1135) 1월, 인종의 마음을 되돌리기 위해 묘청은 서경천도와 칭제건원을 명분으로 서경에서 군사를 일으키는 극단적인 방법을 선택했다. 우리는 이 반란을 '묘청의 난'이라고 부른다.

그런데 '묘청의 난'이 전개되는 과정을 보면 처음엔 해프닝으로 시작되었다가 나중엔 진짜 반란으로 확대된 것이 아닌가 하는 생각이 든다. 서경천도 세력은 정지상과 김안 그리고 묘청과 그의 제자 백수한이 핵심이었다. 그런데 묘청이 서경에서 반란을 일으켰을 때 정지상과 김안, 백수한은 개경에 있었고 그 사실을 전혀 알지 못했다. 사실 서경반란이 조정에 알려지게 된 것부터가 백수한의 보고 때문이었다. 『고려사절요』 권10 인종 13년 1월 4일의 기록을 보면 그는 서경에서 반란이 일어났다는 소식을 듣고 합류하거나 피신하지 않고 오히려 대비책을 강구하도록 왕에게 아뢰었다는 내용이 나온다.

> 백수한의 아들 백청白淸이 서경으로부터 (개경으로) 오는데 백수한의 친구가 글을 보내 (백수한을) 불러 말하기를, "서경에 이미 반란이 일어났으니 몸을 빼서 오는 것이 좋겠다."라고 하였다. 백수한이 그 글을 왕에게 아뢰니 (임금이) 문공인文公仁을 불러 보여주었다. 문공인이 말하기를, "이 일은 의심스러워 진위眞僞를 헤아리기가 어려우니 잠시 비밀로 하십시오."라고 하였다.

문공인은 묘청을 탄핵하는 상소를 올렸던 문공유의 친형이다. 그는 동생과 달리 서경천도를 찬성하는 입장이었다. 때문에 진위가 파악될 때까지 비밀에 부치자고 한 것이다. 이때까지만 해도 인종의 주변엔 여전히 서경천도 세력이 포진해 있었던 것이다. 그러나 인종은 이 사태를 즉각 공론화하여 김부식을 원수로 하는 토벌군을 편성하였는데 김부식은 출정에 앞서 개경에 있던 정지상과 김안, 백수한을 전격 참살하여 서경천도 세력을 와해시켰다. 인종 주변에 포진해 있는 서경천도 세력을 그대로 두고 출정할 수는 없었기 때문이었다. 그는 이 일을 직권으로 처분한 후 인종에게는 사후에 보고했다고 한다.

어떤 이가 김안 등이 몰래 무기를 모으고 사사로이 서로 짝지어 이야기하므로 음모를 헤아릴 수 없다고 고하니 김부식이 여러 재상들과 함께 의논하여 말하기를, "서도西都의 반역은 정지상·김안·백수한 등이 함께 모의한 것이니 이 사람들을 제거하지 않고는 서도를 평정할 수 없다."라고 하였다. 여러 재상들이 매우 그러하다고 여기고 정지상 등 3인을 불러 그들이 이르자 김정순金正純에게 몰래 명령을 내려 용사勇士 3인을 이끌고 나아가 궁궐문 밖에서 베고 이에 아뢰었다.

위의 내용은 『고려사절요』 권10 인종 13년 1월 9일의 기록이다. 묘청의 난이 조정에 알려진 지 5일만에 서경천도 핵심세력 네 명 중 세 명이 궁궐로 초치된 후 죽음을 당한 것이다. 한편 서경에서는 묘청과 함께 반란을 도모했던 조광趙匡이 서경에 토벌군이 도착하기도 전에 묘청과 유참柳旵을 살해하고 투항을 요청했다는 내용이 『고려사절요』 권10 인종 13년 1월 21일 기록에 실려 있다. '묘청의 난'이 발생한 지 17일만에 묘청도 죽음을 당한 것이다. 그러나 투항을 해도 처벌을 모면하기가 어렵다고 판단한 조광이 끝까지 항전하는 쪽을 선택함으로써 해프닝으로 시작된 이 난은 진짜 반란이 되어 1년 이상 지속되다 진압되었다. 서경천도 핵심세력이 일찌감치 제거된 상황에서 묘청 없는 '묘청의 난'은 이렇게 종결되었다. 그럼 서경천도에는 동의하지 않았지만 칭제북벌에는 정지상 등과 뜻을 함께했던 윤언이는 어찌 되었을까?

자명소를 올리다

서경반란을 진압하기 위한 토벌군은 중군을 중심으로 좌군과 우군으로 편성되었다. 김부식과 임원애任元敱는 사령관 격인 중군수에 임명되었고 윤언이는 중군수를 보좌하는 중군좌가 되었다. 윤언민도 좌군수로 임명된 김부의를 보좌하여 함께 출정하였다.

고구려의 후예라는 인식을 가지고 있는 사람들에게 정신적 지주와도 같은 서경을 정치적으로만 이용하려 했던 역대 왕들의 행태가 미덥지 않아 서경천도에 찬동하지는 않았지만 칭제북벌을 논의하며 국정을 함께했던 정지상의 죽음은 윤언이에게 커다란 충격이었다. 왕권강화와 서경세력 확대라는 공동의 목표가 어느 순간 반란으로 규정되었고 그 반란을 함께 모의했다는 이유로 죽음을 당했기 때문이다.

이러한 상황에서 오랜 세월 정지상과 뜻을 같이 했던 윤언이가 도리어 토벌군의 막료가 된 것에 대해 사람들은 윤언이가 두 마음을 품고 있다가 자기에게 유리한 쪽으로 붙는 두길보기를 했기 때문이 아니냐며 비난했는데 신채호는 그것은 "묘청의 허물이지 윤언이를 나무랄 일은 아니다"며 그의 논문 「조선 역사상 1천년 이래 최대사건」에서 윤언이를 두둔하였다.

> 묘청의 행동이 마치 미치광이처럼 제멋대로여서 그와 동당同黨인 정지상 등을 속여서 사지死地에 빠지게 하고, 기타 주의主義를 같이 하던 모든 자들을 진퇴양난의 지경에 서게 함으로써 칭제북벌의 명사까지도 세상 사람들이 기피하는 바가 되게 하였으니, 윤언이가 비록 천재인들 어찌할 수 있겠는가.

윤관이 여진정벌에 나섰을 때 아들 윤언이를 사령으로 임명하여 함께 출정했던 것처럼 윤언이도 아들 윤자양尹子讓을 데리고 출정하였다. 윤관이 지극 정성으로 추구했던 북벌을 윤언이에게 시대정신으로 심어주려 했다면 윤언이는 서경토벌의 시말을 윤자양에게 기록하게 하여 후대에 남기려 한 것이 아닌가 생각된다.

윤언이는 슬하에 7남 4녀를 두었다. 장남은 윤인첨尹鱗瞻이고 차남은 윤언이를 호종한 윤자양이며 3남은 윤자고尹子固이다. 4남은 불가로 출가한 효돈孝惇이고 윤돈신尹惇信과 윤돈의尹惇義가 5남, 6남이다. 7남과 딸 넷은 일찍 죽었다고 윤언이 묘지명은 전한다. 장남인 윤인첨과 3남인 윤자고, 5남인 윤돈신이 과거에 합격하여 윤언이의 부인이 요즘 식으로 표현하면 '장한 어머니상'을 받았다고 한다.

윤자양이 남긴 윤언이의 서경토벌 기록은 훗날 윤인첨이 서경유수 '조위총趙位寵의 난'(1174~1176)을 진압할 때 그대로 적용되었다. 핵심은 거인距堙을 세우는 것이었다. 즉 성 높이만큼 토산을 쌓은 후 성안을 내려다보며 화구와 석포로 공격하는 전법이었다. 윤언이는 반란의 조기진압을 위해 처음부터 이 전법을 사용할 것을 주장하였으나 김부식 등이 반대하였고 공성전이 길어지자 김부식도 결국 이 전법을 채택하지 않을 수 없었다. 거인이 세워지고 얼마 지나지 않아 반란은 진압되었다.

여기서 '묘청의 난' 이후에 서경에서 발생한 또 다른 의미의 반란인 '조위총의 난'을 살펴보자. 인종의 뒤를 이어 왕위에 오른 의종(재위 1146~1170)은 '묘청의 난'에 가담했다가 노비로 전락한 사람들을 사면해 주고 연좌되어 있는 사람들을 용서해 주는 등 서경의 민심을 회복하고자 노력하였다. 당시 조위총은 서경유수로서 의종의 이러한 노력에 적극 호응하였고 의종과 서경 민심으로부터 신망을 얻었다. 그런데 의종 24년(1170) 정중부鄭仲夫, 이의방李義方, 이고李高 등이 중심이 되어 문신들을 살해하고 의종을 폐위시킨 사건이 발생하였다. '무신의 난'이었다. 의종은 거제에 유배되었고 의종의 동생인 익약공이 왕위에 올랐다. 그가 곧 명종(재위 1170~1197)이다.

명종 3년(1173) 동북면병마사 김보당金甫當이 동계에서 군사를 일으켰다. 정중부와 이의방을 제거하고 의종을 복위시키기 위해서였다. 이 거사는 '무신의 난' 이후에 최초로 전개된 조직적인 '반무신의 난'이었지만 실패하였고 이때 이의민李義旼에 의해 의종이 살해되었다. 의종으로부터 신망을 받았던 조위총은 의종의 살해 소식에 분노하였다. 의종을 폐위하고 시해한 죄를 묻고 장례를 국왕의 예로 치르기 위해 조위총은 명종 4년(1174) 서경에서 거병하였다. 이 거병에 자비령 이북의 40여 성이 모두 호응했다는 기록으로 보아 '조위총의 난'은 그 지역적 범위와 소요시간을 놓고 볼 때 고려시대 최대의 내전이었다는 것이 역사학자들의 중론이다.

이 반란을 진압하기 위해 윤인첨이 토벌군의 원수가 되어 출정한 것이다. 아버지와 아들이 40여 년의 시차를 두고 서경에서 일어난 각기 다른 반란을 진압하기 위해 출정한 일도 드문 일인데 아버지가 사용했던 병법을 아들이 그대로 활용하여 또 다른 반란을 진압한 일은 역사상 정말 드문 일이 아닌가 싶다.

조위총의 기록은 『고려사』 열전에 수록되어 있다. 상식적으로 그에 대한 기록은 묘청의 기록처럼 반역전에 수록되어 있어야 하지만 그의 전기는 고려시대의 주요 신하 또는 충신들의 기록이 수록되어 있는 제신전에 실려 있다. 『고려사』가 조선 초에 작성된 사료임을 감안하면 『고려사』를 집필한 조선의 유학자들은 그의 행위를 반역으로 보지 않았던 것 같다.

그러나 한편에서는 조위총이 자비령 이북의 40여 성을 금나라에 바치는 조건으로 군대를 요청한 것을 두고 이는 의종에 대한 충절을 빙자하여 외세와 결탁하려 한 명백한 반역이라고 평가하는 시각도 있다. 『금사』 권135 열전 73, 외국 하 고려에 그 내용이 나온다.

대정 15년(1175, 고려 명종 5년)에 고려의 서경유수 조위총이 호皓(명종)를 배반하고 서언徐彦 등 96명을 파견하여 표表를 올려 아뢰기를, "전왕前王이 본래 (임금 자리를) 양위한 것이 아니라 실은 대장군 정중부·낭장 이의방 등이 살해하였습니다. 신臣 위총이 자비령 서쪽에서 압록강에 이르는 40여 성을 바치고 내속內屬하고자 하니 군사로 원조하여 주십시오" 하니, 上(금 세종)이 이르기를, "왕호王皓(명종)에게 이미 책봉을 내렸는데, 위총이 함부로 병사를 불러들여 반란을 일으키고 또 땅도 바치려 하고 있다. 짐은 만방萬邦을 회유·위무하고 있으니, 어찌 반신叛臣의 포학한 짓을 도울 수 있겠는가?"하고서, 서언 등을 붙잡아 고려에 보내도록 하였다.

조위총의 원병 요청을 반란으로 규정하고 단호히 거절한 위 『금사』의 기록에 대해 학계에서는 다양한 해석을 내놓고 있는데 자칫 고려의 내전에 개입하였다가 남송과 연합한 고려로부터 공격을 받게 되면 국제전으로 비화될 수도 있으므로 이를 우려했기 때문이라는 의견도 있고, 금나라가 송나라를 공격하여 황제를 포로로 잡고 중원을 차지하였을 때 고려가 중립을 지켜준 것에 대한 보답으로 고려의 내전에 군사개입을 하지 않고 중립을 지켜준 것이라는 해석도 있다. 그러나 가장 큰 이유는 윤관과의 약속 때문이었을 것이다.

> 9성 반환의 은혜에 감격하여(중략) 벽돌이나 자갈돌 하나라도 고려 국경 안으로 던지지 않겠다고 맹세하였다. (중략) 금나라 대에는 한 번도 고려를 침입한 일이 없었으니 이는 윤관이 한 번 싸워 세운 공이다.

라고 평가한 신채호의 주장처럼 금나라는 윤관과의 70년 전 약속을 끝까지 지키려고 한 것이 아닌가 생각된다.

서경반란을 진압하는데 공을 세우고 개선한 윤언이는 그러나 정지상과 내통했다는 김부식의 탄핵을 받고 양주방어사로 좌천된다. 양주는 오늘날 경남 양산이다. 『고려사』 권96 열전 「윤언이전」에는 자신을 탄핵한 김부식의 주장을 반박하는 상소가 실려 있는데 일명 자명소 또는 자해소라 하여 자신을 해명하는 상소이다. 먼저 김부식의 탄핵사유를 읽어보자.

신이 좌천되어 가는 날 저녁 출발할 때까지도 죄를 얻은 까닭을 알지 못하고 다만 걱정만 가득하였습니다. 중군中軍(김부식)에서 올린 글을 보니 "윤언이는 정지상과 사당私黨을 결성하여 크고 작은 일들을 모두 의논하였고, 임자년(인종 10년, 1132)의 서경 행차 때에 임금에게 연호를 세우고 황제를 칭할 것을 청하고, 또 국학생을 꾀어 상주하도록 하였습니다. 이 일로 금이 격노하면 그 틈을 타서 일을 벌여 마음대로 사람을 처치하고자, 외부 사람과 붕당을 지어 불궤不軌한 짓을 꾀했으니 신하된 자의 도리가 아닙니다"라고 하였습니다.

2년 전인 인종 11년(1133) 5월에 숭문전에서 벌였던 『주역』 논쟁을 상기해보면 윤언이가 정지상과 한통속이라는 김부식의 주장은 충분히 이해가 된다. 두 사람이 칭제북벌에 뜻을 같이 해왔기 때문이다. 신채호의 표현을 빌리자면 '동당은 아니었지만 주의를 같이 한 사이'임에는 틀림없었다. 이에 대해 윤언이는 다음과 같이 해명하였다.

연호를 세우자는 이 청은 실로 임금을 높이려는 정성에서 나온 것입니다. 우리나라에서도 태조太祖와 광종光宗이 그렇게 한 적이 있고, 지난 문서들을 살펴보건대 비록 신라와 발해도 그 일을 하였습니다. 그러나 대국이 일찍이 군사를 내어 공격한 적이 없고, 우리도 그 일이 감히 (예를) 잃는 것이라고 말하지 않았습니다. 어찌하여 오늘날 같이 성군聖君이 다스리는 세상에 도리어 참람僭濫된 행동이라고 이릅니까. 신이 일찍 의논한 것이 죄라면 그러할 수 있겠지만, 사당을 결성했다거나 금을 격노하게 하였다는 것과 같은 말은 말이 너무 심하며 본말本末이 서로 어긋납니다. 왜냐하면 가령 강한 오랑캐가 우리나라를 침략해 온다면 대저 막을 시간도 없어 급급할 터인데, 어찌 그 틈을 타서 일을 꾸미겠습니까. 붕당을 지었다는 사람이 누구이며, 처치하겠다는 사람은 어떤 사람입니까. 사람들이 만약 화의를 맺지 않고 전쟁을 벌인즉, 패하여 몸을 숨길 곳도 없을 터인데 어떻게 마음대로 도모하겠습니까.

일명 자명소라 불리는 윤언이의 긴 상소에는 크게 세 가지 내용이 담겨 있다. 첫째는 위에서 인용한 것처럼 자신의 탄핵을 적극 해명하는 내용이고 둘째는 묘청에 난을 진압하는데 사용했던 병법을 설명하는 내용이며 셋째는 광주목사로 복권시켜 준 것에 대한 감사의 표문이다. 양주로 좌천되고 5년이 지난 인종18년(1140) 그의 나이 51세에 이 상소를 올린 것으로 보인다. 윤언이는 그로부터 10년 뒤인 1150년에 사망하는데 그의 무덤에 함께 묻힌 묘지명에도 『고려사』와 동일한 내용의 자명소가 실려 있다. "당대에 만들어진 묘지명 기록이 후대에 편집된 사서보다 훨씬 더 정확하다"는 김용선의 주장에 공감을 표하지 않을 수 없는 대목이다.

한편 윤언이 묘지명에는 문공유라는 이름이 두 번 언급되고 있는데 '묘청과 백수한은 모두 요사스러운 사람들이니(중략) 원컨대 속히 배척하고 멀리하십시오'라고 주장하며 탄핵상소를 올렸던 그 문공유이다. 김부식과 더불어 서경천도를 반대했던 대표적인 인물이다. 그런 그를 천거했다는 기록이 묘지명에 실려 있다.

> 일찍이 궁궐에 가서 「만언서萬言書」를 올려 예부터 지금까지의 잘 다스려진 것과 어지러움, 당시 정치의 장점과 단점을 모두 말하니, 그 글이 궁궐에 남겨져 있다. 또한 현명한 자를 나아가게 하고 어리석은 자를 물러나게 하는 것을 자신의 임무로 여겼다. 그러한 까닭에 일찍이 형부상서刑部尙書 문공유 공公, 한림학사 권적權適 공 등 수십여 명을 천거하였으며, 묘청과 백수한의 머리를 베어 나라의 성문에 걸어두고 뒷사람에게 경계하고자 하였다.

또 묘지명에 윤언이의 "3남은 직사관直史館 윤자고로 갑자년(인종 22, 1144)에 진사제에 합격하였고, 형부상서 문공유 공의 딸에게 장가갔다"고 기록되어 있는 것으로 보아 훗날 문공유와 사돈관계를 맺은 것으로 보인다. 관련 사료의 내용을 종합하여 유추해 보면 윤언이는 서경천도에는 분명히 반대하였고 칭제북벌에는 적극적으로 찬성하는 입장이었다는 것을 알 수 있다.

앞에서도 언급했듯이 윤언이 묘지명을 지은 김자의가 윤언식의 묘지명도 지었다. 윤언식의 묘지명에 따르면 묘청의 난이 일어났던 해 5월에 윤언식은 전중감이 되고 이어서 지동북면병마사가 되었으며 반란이 진압되고 난 뒤 지서북면병마사가 되어 반란의 뒷수습을 하였다고 한다. 김자의가 굳이 윤언식 묘지명에까지 묘청의 난을 언급하고 윤언이 묘지명에 이례적으로 긴 자명서를 기록한 것을 두고 이 묘지명을 해제한 김용선은 윤언식, 윤언이 형제와 가까운 사이였던 김자의가 두 사람 모두 묘청 세력과는 무관하다는 점을 애써 대변하고 있는 것 같다고 해석하였다.

기록된 역사와 기억하고 있는 역사

흔히 역사를 승자의 기록이라고 말한다. '승자는 기록하였고 패자는 기억하였다'는 말이 있는 것처럼 남아있는 역사의 기록들은 거의 승자의 입장에서 씌어진 것이다. 기록한 역사 못지 않게 기억하고 있는 역사의 중요성을 일깨워 준 책이 있다. 「그 많던 망국의 유민은 어디 갔을까」라는 부제가 붙은 『1,300년 디아스포라, 고구려 유민』이라는 책이다. 10년 동안 손에서 놓지 못하고 있는 책이기도 하다.

서기 668년 고구려가 나당연합군에 의해 멸망했을 때 상당수의 고구려 백성들이 중국으로 끌려갔다. 그 수가 20만 명에 달했다고 하는데 당시 고구려 인구가 200만 명 정도인 점을 감안하면 10%에 해당하는 결코 적지 않은 숫자이다. 그 중 10만 명 이상이 호남성 서부와 호북성 남부 등 중국 남방의 공한처空閑處로 소개疏開되었으며 천신만고 끝에 그곳에 정착한 것으로 추정하고 있다. 공한처란 사람이 살지 않아 비어있는 곳을 말

한다.

당나라가 동아시아 패권전쟁의 일환으로 신라와 연합하여 고구려를 멸망시키면서 전쟁의 결과로 포획된 포로들로 하여금 이 공한처를 메우기 위해 가족단위로 이주시킨 것이라고 저자 김인희는 주장했다. 황무지 개간에 따른 재정수입 확대와 더불어 고구려 유민들을 병력화하여 막요莫瑤를 견제하려는 목적이 있었다는 것이다.

막요란 당나라가 통제 못하는 소수민족을 일컫는 말로 어원도 '요역을 하지 않는 민족'이라는 뜻이다. 당나라 시기에 막요는 호남성의 실질적인 주인이었다. 세금을 내지 않았고 요역도 하지 않았기 때문에 당나라는 이러한 손실을 고구려 유민을 통해 보전하려 했으며 유사시에는 군대에 편입시켜 막요와의 전쟁에 동원했을 것으로 추측하고 있다. 이 고구려 유민이 오늘날 중국에서 먀오족이라 불리는 묘족苗族이다. 인구 수가 약 800만 명으로 중국 내 56개의 소수민족 중 다섯 번째로 많다고 한다. 10여 년 동안 묘족을 연구해 온 김인희가 묘족의 조상이 고구려 유민이라고 단정지

고구려벽화 무용총에서 남자 무용수들의 입고 있는 바지가 궁고이다. 오늘날에도 묘족 남성들은 전통의상으로 이 궁고를 입는다.

은 가장 큰 이유는 그들이 가지고 있는 기억 때문이었다.

묘족은 그들의 조상이 이동해 온 길을 정확히 기억하고 있었고 그 기억을 문양으로 새긴 옷을 입고 있었으며 노래로 또는 이야기로 그 기억을 계속 확대 재생산해 왔다는 것이다. 김인희가 논거로 제시한 19가지의 증거 중에 특히 묘족 여성들의 주름치마에 새겨진 두 개의 선이 그들의 조상이 이동하면서 건넜던 황하와 장강을 의미한다는 묘족 학자들의 주장과 묘족 남성들이 아직도 고구려 남자의 바지인 궁고窮袴와 똑같은 바지를 입고 있다는 사실이 몹시 흥미로웠다.

사실 기억이 역사적 사실과 진실을 얼마만큼 담보하고 있는지는 알 수가 없다. 하지만 집단의 기억을 우리는 흔히 전통이라 부르며 계승해 오지 않았던가. 기록한 역사 못지 않게 기억하고 있는 역사가 중요한 이유가 바로 이 전통의 대물림과 이어짐 때문일 것이다.

'묘청의 난'을 계기로 정적인 정지상을 제거하고 윤언이를 축출하는데 성공한 김부식은 승자의 기록을 사서에 남겼다. 『삼국사기三國史記』를 서술한 것이다. 『삼국사기』가 인종의 명에 따라 김부식을 비롯한 12명의 관료들이 공동으로 편찬한 것으로 알려져 있지만 사실은 김부식이 주도한 사서라고 해도 무방할 것이다. 그가 직접 서문을 썼고 자신의 견해를 시론을 통해 밝혔기 때문이다.

그런데 이 『삼국사기』를 유교사관에 입각한 사대주의적인 사서라고 혹평하는 학자들이 많다. 일례로 "신라가 중국에 신속臣屬한 나라로서 법흥왕이 연호를 칭함은 잘못이다" 라든가 "백제는 선린우호를 하지 않고 전쟁을 일삼아 대국에 거짓말을 하는 죄를 지었다" 나아가 "고구려나 백제가 멸망하게 된 원인은 중국에 대한 불손한 태도 때문이다"고 서술한 그의 견해에 동의하면서 사관을 피력하기가 쉽지 않았을 것이다. 그래도 조선 시대 사관들보다는 덜 사대적이라는 혹자의 평가가 있어 쓴웃음을 짓게 한다.

앞에서 윤언이와 김부식의 극명하게 대립되는 역사인식과 시대정신을 살펴 보았다. 윤언이는 고려가 고구려를 계승한 나라라는 역사인식을 가지고 북벌을 통해 고구려의 옛 영토를 회복하는 것이 시대정신이라고 보았다면, 김부식은 신라의 문화적 전통을 이어가야 한다는 역사인식을 가지고 중국의 문물과 사상을 따라야 한다는 이른바 모화사상을 시대정신이라고 보았다. 대체로 고려 전기 200년 동안은 윤언이가 가지고 있었던 역사인식과 시대정신이 확고한 국가의 이상으로 자리매김하고 있었다.

그러나 김부식의 역사인식과 시대정신이 그대로 반영된 『삼국사기』에서는 고려가 고구려의 전통을 계승한 나라가 아니라 신라의 전통을 계승한 나라임을 분명히 하고 있다. 승자의 기록으로 패자의 역사인식을 부정하고 그 시대정신조차 개조하려 한 것이다.

신채호는 이를 두고 "서경 전쟁에서 승리한 것을 천재일우千載一遇의 기회로 자기의 사대주의에 근거하여 『삼국사기』를 지으면서 자신의 주의主義에 부합하는 사료는 더 늘리어 설명하고 찬탄讚嘆하고 혹은 고쳐서 다시 쓰고, 부합하지 않는 사료는 폄하하고 덧칠하여 고치고, 혹은 깎아내 없애 버렸다"고 비판하였다.

『삼국사기』가 일연이 지은 『삼국유사三國遺事』와 더불어 현재 남아있는 유일한 고대사료인 까닭에 편찬동기부터 내용에 이르기까지 많은 학자들의 연구가 있었다. 그 중에 윤언이와 정지상이 추구한 칭제북벌이 부당하다는 점을 강조하기 위해 『삼국사기』를 편찬했다는 주장이 있다. 즉 고구려 계승의식은 고려의 대외강경론자들에게 그들의 주장을 합리화하는 수단으로 이용되었고 또 이러한 대외강경론은 왕권강화를 뒷받침하는데 기여했다는 것이다.

성종 12년 거란이 고려를 침입하여 서경 이북의 땅을 자신들에게 할양할 것을 요구했을 때 고려가 고구려를 계승한 나라임을 내세워 서희徐熙가 그들의 할지론을 일축했던 것이나 숙종과 예종대에 윤관 등 대외강경론자들이 추진한 여진정벌이 왕권강화와 문신세력의 견제에 이용된 것 등이 그 예라는 것이다. 따라서 김부식이 신라적 전통의 계승을 강조한 이면에는 칭제북벌론 같은 대외강경론과 이를 정치적으로 이용한 왕권강화론을 비난한 것과 다름없다는 것이 이 주장의 결론이다.

숙종을 송나라 왕안석의 신법을 법치의 근간으로 삼아 부국강병책을 추구한 유일한 개혁군주라고 소개하면서 덕을 베풀고 어질게 정치하는 유가적인 군주상과 달리 예를 배제하고 엄격한 신상필벌의 정치를 하는 법가적인 군주상을 지닌, 우리 역사에서 보기 드문 왕이었다고 평가한바 있다. 그런 숙종의 최측근이자 숙종과 예종대에 여진정벌을 감행한 윤관과 인종대에 칭제북벌을 주장한 윤언이는 고구려 계승의식을 가진 전형적인 대외강경론자였고 왕안석의 신법을 지지하는 대표적인 개혁론자였다.

그러나 윤언이와 대척점에 서서 권력의 한 축을 담당했던 김부식은 당연히 반대의 생각을 가졌다. 『고려사절요』 권10 인종 17년(1139) 3월의 기록에 그의 생각이 잘 나타나 있다. 묘청의 난이 진압된 후 4년이 지났을 때의 기록이다.

김부식과 최진崔溱 등을 불러 주연酒宴을 열고, 김부식에게 명하여 사마광司馬光의 「유표遺表」와 「훈검문訓儉文」을 읽게 하였다. 왕이 감탄하고 칭찬하며 한참 동안 말하기를, "사마광의 충의忠義가 이와 같은데 당시 사람들이 그를 일러 간당姦黨이라 하였으니 어찌된 것인가."라고 하였다. 김부식이 대답하여 아뢰기를, "왕안석의 무리와 서로 사이가 좋지 않았기 때문일 뿐이지 실제로는 죄가 없습니다."라고 하였다. 왕이 말하기를, "송宋이 망한 것이 반드시 여기에 연유하였다고 하지 않을 수 없다."라고 하였다.

사마광은 부국강병책을 추구한 왕안석의 신법에 반대하는 세력의 영수였다. 개혁보다는 기존질서를 고수하려는 입장 때문에 구법당舊法黨이라 불렸다. 위 기록은 인종과 김부식이 왕안석의 신법이 송나라 멸망의 원인이라는데 인식을 같이 함으로써 왕안석의 신법을 법치의 근간으로 삼아 부국강병과 왕권강화를 추구했던 숙종과 예종대의 치세를 부정하는 모습을 보여주고 있다.

정지상과 묘청의 서경천도, 윤언이의 칭제북벌 등과 같은 대외강경책으로 왕권을 강화하려 했던 인종이 도리어 이들로 인한 정치적 부담을 과다하게 경계하는 자충수를 둠으로써 '묘청의 난'을 정적 제거 수단으로 삼아 자신의 권력을 더욱 강화시킨 김부식에게 굴복당한 것이다.

이로써 '이자겸의 난'으로 실추되었던 왕권은 더욱 무력화되었고 김부식은 최고 권력자로서 고려가 고구려의 전통을 계승한 나라가 아니라 신라의 전통을 계승한 나라임을 『삼국사기』에 명시하여 역사인식과 시대정신까지 바꾸려 한 것이다. 이렇게 쓰여진 『삼국사기』에 대한 신채호의 비판은 추상처럼 단호하였다.

> 대개 자기의 이상과 배치되는 시대의 역사에서 자기의 이상에 부합하는 사실만을 수습하려고 하니 그 사료도 엄청 부족할 뿐 아니라 또 부득이 공자孔子의 필삭주의筆削主義(역사기술의 한 방식으로, 쓸 것은 쓰고 삭제할 것은 삭제하는筆則筆 削則削 방식)를 써서 그 사실을 가감加減하거나 혹은 개작改作할 수밖에 없었을 것이다. 그 중에서도 가장 많이 삭제를 당한 것은 유교도의 사대주의와 정반대되는 독립사상을 가졌던 낭가郎家의 역사이다. 아, 슬프다. 당唐의 장수 이적李勣과 소정방蘇定方이 고구려와 백제를 멸망시키고 그 문헌들을 소탕하였다 하지만 그들이 우리 사학계에 끼친 재앙이 어찌 김부식의 서경전쟁의 결과에 미칠 수 있으랴.

신채호는 「조선 역사상 1천년 이래 최대사건」으로 '묘청의 난'이라 불리는 서경전쟁을 꼽았다. 그 전쟁의 결과로 고구려 계승이라는 역사인식과 북벌이라는 시대정신이 사라졌으며 신라의 문화적 전통과 더불어 사대주의가 득세하다가 이성계李成桂의 조선 창업 자체가 곧 이 사대주의로 성취됨에 따라 선배-조의선인-화랑정신마저 완전히 끊어졌다고 신채호는 개탄했던 것이다.

반면 신라의 삼한통합이 한국 역사상 가장 중요한 사건이었으며 신라의 삼한통합 이후 통일신라를 거쳐 이어온 고려와 조선, 한국은 신라인의

후손들의 나라였다는 주장이 있다. 서강대학교 이종욱 교수가 쓴 책 『신라가 한국인의 오리진이다』 책머리에서 강조하는 내용이다.

한국인은 신라인을 시조로 하는 성씨를 가진 사람들이 대부분이고 상대적으로 고구려, 백제인을 시조로 하는 성씨를 가진 사람이 많지 않기 때문에 신라의 삼한통합이야말로 오늘날 한국의 탄생을 의미하며 한국인의 오리진이 신라에 있도록 한 역사적인 사건이었다는 것이다.

이러한 역사인식은 다분히 승자의 입장에서 바라본 관점이므로 김부식의 신라의 문화적 전통계승 인식과 크게 달라 보이지 않는다. 더욱이 "당나라의 위엄을 빌려 백제와 고구려를 평정하고 그 땅을 얻어 군현으로 삼았으니 융성한 시대라 이를 만하다"는 『삼국사기』의 사대주의적인 내용을 인용하면서까지 "고려와 조선의 역사가들은 신라가 백제와 고구려를 평정하여 군현을 삼은 것이 오히려 융성한 시대를 만들었다고 평했다"는 내용을 강조한 것은 아무리 신라가 한국인의 오리진이다 하더라도 그 주장이 너무 지나친 면이 없지 않다.

기록된 역사는 지울 수 있다. 김부식이 『삼국사기』를 편찬하면서 기존의 사서를 몽땅 지웠다는 비난을 받고 있는 것처럼 기록이 사라지면 풍문은 남겠지만 세초洗草가 불가능한 일은 아니다.

그러나 기억되는 역사는 지울 수 없다. 형체가 없어서가 아니라 이미 오래된 미래인 '전통'이라는 이름으로 각인되어 있기 때문이다. 신라인의 성씨를 물려 받고 신라인의 언어를 사용하며 현대를 살고 있는 한국인은 그럼에도 불구하고 고구려와 백제의 역사를 기억한다. 고구려와 백제의 망국의 유민들을 기억하고 이들이 우리가 알고 있는 역사의 사실들과 어떻게 연결되어 있는지 궁금해 한다.

묘족처럼 디아스포라가 되어 여전히 우리 역사의 주변에 머물고 있는 그들의 역사를 따라가 보자. 역사는 기록한 자의 것이 아니라 기억하고 있는 자, 그것도 온몸으로 기억하고 있는 자의 것이라는 사실을 알게 될 것이다.

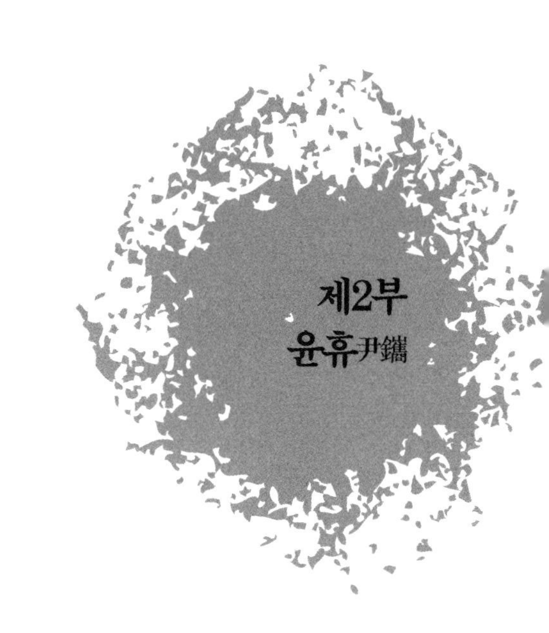

제2부
윤휴尹鑴

여진족 돌아오다

조선의 16대 왕 인조의 재위기간(1623~1649) 중에 두 번의 호란胡亂이 있었다. 정묘년(1627)에는 후금後金이, 병자년(1636)에는 후금에서 이름을 바꾼 청淸나라가 조선을 침략했다. 병자년 호란의 경우 발해가 거란과의 전쟁에서 불과 열흘 만에 멸망했다고 『요사』에 기록되어 있는 것처럼 전쟁 발발 47일만에 청나라에게 항복하여 '삼전도의 치욕'을 역사에 남겼다. 이후 조선사회는 이 치욕을 극복하는 차원에서 꽤 오랫동안 북벌을 화두로 삼았다. 북벌의 대상 또한 고려시대와 마찬가지로 고구려-발해 유민인 여진족이었다.

고구려-발해 유민인 생여진 완안부가 세운 금나라는 건국 120년(1234) 만에 몽골에 의해 멸망했다. 다시 유민이 된 여진족들은 대부분 몽골이 세운 원元나라에 복속하여 자신들의 근거지인 만주로 돌아갔고 일부는 원나라의 지배가 약화되는 틈을 타 고려에 귀화하기도 했다. 대표적인 인물이 이성계의 아버지 이자춘李子春이다. 그는 천호千戶라는 원나라 관직을 가지고 화주에 살면서 공민왕이 반원운동의 일환으로 100여 년 전에 원나라에게 빼앗겼던 동북면을 수복하고자 쌍성총관부를 공격했을 때

(1356) 적극 호응하여 동북면을 탈환하는데 큰 공을 세웠다.

고려에서는 유인우柳仁雨를 동북면 병마사로 삼고 이인임李仁任과 최영崔瑩 등을 출정시켰는데 이때 이자춘이 이성계, 이원계(이성계의 이복형)와 함께 성문을 열고 내응한 것으로 알려져 있다. 이 전투를 통해 이자춘은 자신과 22살 약관의 이성계의 이름을 고려 조정에 알렸다.

원나라가 화주에 쌍성총관부를 설치하여 영토화한 것은 몽골의 6차 침입이 진행되던 고종(재위 1213~1259) 45년인 1258년이었다. 조휘趙暉와 탁청卓靑이 당시 동북면 병마사인 신집평愼執平 등을 죽이고 철령 이북 땅을 몽골에 바치며 투항했던 것이다. 그로부터 11년이 지난 원종(재위 1259~1274) 10년(1269)에는 최탄崔坦과 이연령李延齡 등이 난을 일으켜 서경을 비롯한 북계의 54개 성과 자비령 이북의 서해도 6개 성을 들어 바쳐 몽골에 투항했다. 쿠빌라이 칸은 그곳을 몽골 직속령으로 편입해 영토화하였고 묘청이 천도를 주장했던 서경에 동녕부를 설치(1270) 했다. 요양으로 비정되는 서경은 몽골의 영토가 되었다가 20년만인 1290년에 고려로 반환되었지만 철령 이북으로 비정되는 동북면은 100년이 다 되도록 수복하지 못하고 있었다.

동북면을 수복하는데 공을 세운 이성계는 공민왕 19년(1370) 동북면 도원수가 되어 '1차 요동정벌'에 나섰다. 정벌 상대는 친원파 권문세족의 일원인 기철奇轍 세력이었다. 동녕부가 설치된 서경이 고려에 반환되자 고려로의 귀속을 거부한 이들은 요양 근처 동평에 새로운 동녕부를 만들었는데 이를 '요양동녕'이라 불렀다. 공민왕이 반원운동 차원에서 친원세력을 제거하기 위해 이성계로 하여금 이 '요양동녕'을 공격하게 한 것이 '1차 요동정벌'이다.

'요양동녕'이라 불린 동평은 서기 586년 고구려 평원왕이 천도한 장안성이었고 요나라가 발해를 멸망시킨 후 발해 유민을 이끌고 천도한 동란국과 같은 지역이었다. 고려 서경인 요양과는 그리 멀지 않았으므로 정벌에 긴 원정이 필요치 않았다. 그런데 친원파를 제거하기 위한 이 징벌전쟁을 두고 일부 학자들은 원나라가 지배한 요동지역을 공격했으므로 요동정벌이었다고 주장한다. 심지어 오늘날의 개성과 평양 등 한반도 땅에서 만주까지 군대를 출정시킨 일종의 북벌이었다고 주장하는 학자도 있다. 고려의 영토를 한반도로 국한시킨 시각에서 보면 요동을 도모했으므로 북벌처럼 보일 수도 있을 것이다. 그러나 당시 고려의 영토는 요동에서부터 선춘령까지 천리장성으로 이어져 있었다.

'위화도 회군'으로 무위에 그친 '2차 요동정벌'도 마찬가지이다. 이때의 정벌 상대는 철령위 설치와 과도한 전쟁비용 요구 등으로 갈등을 빚었던 명나라 군정기관 '요동도사'였다. '요동도사'가 주둔한 지역은 태자하 또는 요하에 있을 것으로 추정되는 위화도 건너편 동평이었기에 우왕(재위 1374~1388)은 이성계와 조민수曺敏修로 하여금 이곳을 공격하게 했던 것이다.

'요동도사'가 주둔한 동평 또한 고려의 영토였으므로 '위화도 회군'이 북벌을 포기한 반란이었다는 시각은 요동정벌을 윤관의 여진정벌과 같은 북벌의 의미로 해석했기 때문이 아닌가 생각된다. 고려에 대한 반란은 분명하지만 최영이 주장했다는 북벌의 포기까지는 아니었다. 서북면 수복전쟁을 포기한 것뿐이었다. 고려의 영토에 대해선 뒤에서 고려 서경을 논할 때 다시 한번 언급하겠다.

'위화도 회군'으로 고려가 정변을 겪는 동안 명나라는 북경과 요양 양쪽에서 공격하여 원나라를 오늘날의 내몽골 지역으로 밀어내는데 성공했다. 산해관에서 압록강에 이르는 요동 전역을 점령한 것이다. 명나라는 이곳에 요동진을 비롯한 '요동변장'을 설치했다. '위화도 회군'으로 병권을 장악한 이성계 또한 고려를 멸망시키고 조선을 개국(1392)하는 데 성공했지만 명분이 약한 왕권을 보장받기 위해 명나라에 칭신과 사대를 약속해야 했다.

이 무렵 조선은 서북면인 동녕부 지역의 수복을 포기한 것은 물론이고 명나라가 철령위를 설치하겠다고 우겼던 동북면 지역의 지배까지 포기한 것으로 보인다. 동북면이 태조(재위 1392~1398) 이성계의 본향이었음에도 불구하고 원나라의 남하를 저지하고 있는 명나라를 자극하지 않기 위해 이와 같이 결정함으로써 조선은 고려 강역의 절반에도 못 미치는 소국으로 전락하였고 스스로 명나라의 번국이 되었다.

명나라를 건국한 홍무제(재위 1368~1398) 주원장은 당나라 등 중국의 많은 나라들의 수도였던 남경을 도읍지로 삼았다. 그 때문에 남경에서 멀리 떨어진 만주는 넷째 아들인 주체朱棣가 북경에 머물며 관리했다. 홍무제는 그런 주체를 연왕으로 책봉하고 총애했다. 즉위하면서 태자로 책봉한 장남 주표朱標가 일찍 사망(1392)하자 그를 태자로 삼으려고까지 했다. 그러나 남경에 아무런 권력기반이 없었던 주체를 대신들이 극구 반대하자 고심 끝에 홍무제는 장남 주표의 아들 주윤문朱允炆을 후계자로 지명했다.

홍무제가 죽자 예정대로 주윤문이 황위에 올라 건문제라 하였다. 그러나 그의 재위기간(1398~1402)은 짧았다. 숙부인 주체가 북경에서 반란(1399년)을 일으켰기 때문이다. 이 반란을 『명사明史』에는 '정난의 변'이라 기록되어 있는데 3년 동안 계속되었고 결국 남경이 함락되면서 끝이 났다. 이어 주체가 황제의 자리에 오르고 북경으로 천도하니 그가 곧 영락제이다.

명나라 태자 주표가 죽었을 때 후계자를 세우는 문제로 명나라 조정이 시끄러운 상황을 예의주시한 조선의 선비가 있었다. 정도전鄭道傳이었다. 그는 홍무제 사후에 벌어질 권력투쟁과 그에 따른 요동지역의 정세변화를 면밀히 살폈다. 그리고 명나라에 정변이 발생하면 '위화도 회군'으로 이루지 못했던 '요동도사'를 공격하여 태조의 고향인 동북면과 서북면을 되찾겠다는 이른바 요동수복 계획을 세웠다. 최영을 '공요죄' 즉 요동을 공격한 죄로 처형한 태조로서는 분명 자가당착에 빠지는 일이었지만 자신이 세운 나라 조선에서는 더 이상 '위화도 회군'과 같은 명분이 필요하지 않았다.

이 계획에 완고하게 반대한 사람은 권력을 놓고 정도전과 정면으로 대립하고 있었던 태조의 다섯째 아들 이방원李芳遠이었다. 그는 이 계획에 자신을 포함하여 창업공신들이 거느리고 있던 가병을 혁파하기 위한 계략이 숨어 있음을 알았다. 군사를 일으킨다는 명분으로 가병과 사병을 관군으로 편제함으로써 일체의 군사행동을 할 수 없도록 무력화시켰기 때문이다. 하여, 명나라로 하여금 정도전을 처분하게 할 요량으로 북경에 머무르고 있던 주체에게 요동수복 계획을 알렸다. 예상대로 명나라는 정도전을 당장 소환하라고 태조를 압박했다. 그러던 중에 홍무제가 사망했다.

수세에 몰렸던 정도전에게 천재일우의 기회가 찾아오는 듯했다. 그러나 이방원의 직접 처분이 더 빨랐다. 그는 가용할 수 있는 모든 가병과 사병을 동원하여 정도전과 남은南誾 등을 죽이고 세자인 이방석李芳碩과 이복동생인 이방번李芳蕃도 살해했다. '1차 왕자의 난'(1398)이라 불리는 형제간의 골육상쟁으로 요동수복 계획은 한순간에 물거품이 되었다. 이로써 고조선-고구려-발해-고려로 이어져 온 만주 땅은 더 이상 조선의 강역으로 이어지지 않았다. 이방원은 '2차 왕자의 난'(1400)을 거쳐 그해 왕위에 올라 태종(재위 1400~1418)이 되었다.

'1차 왕자의 난'의 충격으로 상왕으로 물러났던 태조는 절치부심 끝에 1402년, 조사의趙思義를 앞세워 군사를 일으켰다. 이번엔 부자 간의 골육상쟁이었다. 이 반란에 동원된 병력은 태조의 가별초와 그를 따르던 여진 알타리吾都里, 우랑카이兀良哈 부족의 병사들이었다. 가별초는 이지란李之蘭처럼 귀화한 여진족으로 구성된 태조의 가병이다. 반란은 태조가 궁궐로 강제 초치되면서 흐지부지되었지만 태조를 따르던 여진과의 관계는 이후 악화되었고 조선에 등을 돌리는 계기가 되었다.

여진 알타리 부족장으로 '조사의의 난'에도 참가했던 먼터무孟特穆라는 사람이 있었다. 몽골식 이름은 몽케 테무르이고 한자로 쓰면 맹가첩목아猛哥帖木兒이다. 『조선왕조실록』과 『용비어천가』에서는 태조의 휘하 여진 26부족장들 중 하나로 그의 이름이 'ᄀᆞ온멍거터물' 이라고 한글로 기록되어 있는데 태조가 고려에서 활동하던 시절부터 동북면의 여진 부족들을 동원해 전쟁할 당시 이지란과 더불어 종군할 정도로 태조와 아주 친밀한 관계였다고 한다. 『태조실록』 8권, 태조 4년(1395) 12월 14일 계묘 두번째 기사에 그 내용이 나온다.

> 동북면 1도道는 원래 왕업王業을 처음으로 일으킨 땅으로서 위엄을 두려워하고 은덕을 생각한 지 오래 되어, 야인野人의 추장酋長이 먼 데서 오고, 이란 두만移闌豆漫도 모두 와서 태조를 섬기었으되, 언제나 활과 칼을 차고 잠저潛邸에 들어와서 좌우에서 가까이 모시었고, 동정東征·서벌西伐할 때에도 따라가지 않은 적이 없었다. 여진女眞은 알타리 두만斡朶里豆漫 협온 맹가첩목아夾溫猛哥帖木兒(먼터무), 화아아 두만火兒阿豆漫, 고론 아합출古論阿哈出(아하추), 탁온 두만托溫豆漫, 고복아알高卜兒閼, 합란 도다루가치哈闌都達魯花赤, 해탄가랑합奚灘訶郎哈, 삼산 맹안參散猛安, 고론두란첩목아古論豆闌帖木兒(이지란), 이란 두만 맹안移闌豆漫猛安…(이하 중략)

연왕 시절 만주를 다스렸던 영락제는 왕업으로 얽혀 있는 태조와 여진 부족장들과의 형제지의 관계를 잘 알고 있었다. 여진 부족장들이 모두 태조의 휘하에 들어갈 경우 조선의 통치권력이 요동 땅에도 미칠 것이며, 그렇게 되면 여진족으로 하여금 고비사막 북부의 원나라를 견제하는데 이용하고자 했던 명나라의 이이제이 전략에도 차질이 생길 수밖에 없음을 우려했다.

어떻게 하든 두 세력 간의 연결고리 차단하고 여진을 통제하기 위해 알타리, 우랑카이, 우디거兀狄哈 부족장을 초무하여 조공할 것을 압박하고 회유했다. 이 회유책에 태조의 측근이었다가 '조사의의 난'을 계기로 조선과 결별한 우랑카이의 부족장 아하추가 부응하여 내조하자 영락제는 만주 요동에 건주위를 설치하고 아하추를 건주위 지휘사에 임명했다(1403). 이후 건주위의 통제하에 있는 여진족을 '건주여진'이라 불렀다. 또 홀룬忽

刺溫 부족이 내조하자 올자위兀者衛를 설치하고 올자위의 통제를 받는 여진족을 '해서여진'이라 불렀다.

알타리 부족장 먼터무는 영락제의 초무에도 불구하고 조선에 내조했다. 태종은 기뻐하며 그에게 정3품 벼슬인 상호군 관직을 제수했다. 먼터무의 내조는 우디거 부족의 침략을 저지하는 효과가 있었으므로 조선은 알타리 부족을 계속 조선의 세력권에 묶어둬야 했다.

이런 먼터무를 조선에서 떼어내기 위해 영락제는 다시 한번 이이제이 전략을 썼다. 처음에 먼터무는 "20여 년 동안 조선의 은혜를 입었고 또 조선과 명나라는 형제와 다르지 않으니 굳이 명나라를 섬겨야 할 명분이 없다"며 내조를 거절하였으나 입조를 하지 않으면 우랑카이 부족장 아하추가 알타리 부족을 차지하게 될 거라는 영락제의 겁박에 더 이상 버티지 못하고 굴복했다. 명나라를 섬기기로 한 것이다. 아하추와 경쟁하며 부족의 세력을 키워왔던 먼터무로서는 자신의 백성을 아하추에게 절대로 빼앗길 수가 없었다.

먼터무가 명나라에 입조하자 조선은 충격에 빠졌다. 원나라와의 전쟁을 명분으로 요동에 설치한 명나라 '요동도사'에게 만주의 지배권을 넘겨주긴 했지만 그 지역의 여진족에 대한 통제마저 포기한 것은 아니었기 때문이다. 더욱이 태조를 도와 조선 건국에 참여했던 아하추에 이어 상호군 벼슬까지 제수 받았던 먼터무마저 등을 돌렸기에 충격이 더욱 컸을 것이다. 이로써 조선과 명나라가 벌인 여진족 쟁탈전은 명나라의 일방적인 승리로 끝났다.

고려시대에는 여진족을 고구려-발해의 유민으로 인식하였으나 조선시대를 거치면서 여진족=오랑캐=금수라는 인식으로 바뀌었고 징벌대상으로만 여기다가 두 번의 호란을 겪은 후에는 북벌 또는 북학의 대상으로 그들에 대한 인식이 계속 바뀌었다.

그리고 만주에 대한 지배권은 완전히 명나라로 넘어갔다. 사실 조선이 스스로 명나라의 번국임을 자청했으므로 공공연히 여진족 쟁탈전에 나설 수도 없는 형편이었다. 동북면과 서북면에서 오랫동안 살아왔던 고려의 백성들은 물론이거니와 고구려-발해의 유민인 여진족들도 더 이상 조선을 국체로 섬길 수 없게 되었다. 영락제는 먼터무에게 동童씨 성을 하사하고 건주위에서 건주좌위를 분리하여 먼터무를 건주좌위 지휘사로, 아하추를 건주위 지휘사로 임명했다.

태종은 이에 대한 보복으로 조공무역과 국경무역을 위해 경원에 설치한 무역소를 폐쇄하고 모린위를 공격하여 여진족을 학살하였다. 이후로 여진족과의 관계는 더욱 악화되어 거리상 명나라의 통제가 미치지 못했던 두만강 지역의 여진을 세종(재위 1418~1450) 때 최윤덕崔潤德과 김종서로 하여금 4군과 6진을 개척하여 통제하게 했으며 이때 세종은 최윤덕에게 먼터무의 암살을 지시하기도 했다.

이렇듯 먼터무가 『조선왕조실록』에 130번 언급되어 있는 것을 보면 그가 우리 역사에 어느 정도 비중 있는 인물로 등장하였음을 알 수 있다. 더 흥미로운 것은 그의 6세손이 훗날 후금을 건국하고 청나라의 초대 황제가 되는 천명제(재위 1616~1626) 누르하치努爾哈赤라는 사실이다.

명나라에 제일 먼저 내조한 우랑카이 부족장 아하추는 영락제로부터 이李씨 성을 하사 받고 이사성李思誠으로 개명했으며 그의 아들 시기아누釋加奴도 이현충李顯忠으로 개명했다. 그의 손자가 조선과 명나라 사이에서 조공과 약탈을 거듭하며 세력을 떨친 이만주李滿住인데 세종 14년인 1432년에 평안북도 자강도 강계에서 살인과 약탈을 자행하여 세종으로 하여금

10여 년에 걸쳐 4군과 6진을 개척하게 만든 장본인이다.

이후 그의 부족이름 우랑카이는 '오랑캐'의 어원이 되었고 조선사회에서 여진족=오랑캐=금수禽獸라는 인식을 심어주었으며 여진족을 고구려-발해의 유민이라고 인식했던 고려시대와는 달리 오직 징벌의 대상으로만 여기는 계기를 만들어 주었다.

또 그의 이름 만주滿住는 150여 년이 지나 누르하치를 지칭하는 칭호가 되었으며 여진족을 만주족滿洲族이라 부르고 그들이 사는 강역을 총칭하여 만주滿洲라 부르게 되었다는 견해가 있는 것을 보면 이만주 또한 먼터무못지않게 우리 역사에서 계속 회자되고 있는 인물임에 틀림없다. 어쨌든 조선의 변방을 끊임없이 괴롭혔던 이만주는 세조 13년인 1467년, 명나라와 조선의 협공을 받아 그를 포함한 가족 전부가 몰살당했다고 한다.

향불을 피워놓고 맺은 정

16세기 이후 여진족에 대한 조선의 관심은 15세기에 비해 현저히 줄어들었다. 조선의 여진족에 대한 지배력이 크게 약화된 반면 명나라가 만주에 대한 지배권을 확고히 하였고 여진세력 또한 조선에 그다지 큰 위협이 되지 않았기 때문이다. 명나라 요동총병관 이성량李成梁이 활약하던 16세기 후반까지는 여진족 내부에서 조선을 위협할 만한 유력자가 나타나지 않았다. 명나라는 초기부터 여진 부락을 위소로 편성하고 그 부락 추장을 위소관으로 임명해 다스렸다. 위소관들에게는 명나라와의 교역허가증 같은 칙서를 배분하여 여진족끼리 경쟁을 유도했는데 이 분할통치방식이 주효했던 것이다.

이성량은 임진년 왜란 때 명나라 군대를 이끌고 조일전쟁에 참전한 이여송李如松의 아버지이다. 조상 대대로 살던 요동의 철령이 명나라에게 귀속되자 그의 4대조 이영李英이 명나라로 귀화한 것으로 알려져 있다. 요동 철령은 이성계가 조선을 건국하면서 포기한 고려의 동북면 지역이다. 지금도 그의 후손인 성주 이씨가 요녕성 철령시 소둔촌에 집성촌을 이루며 살고 있다고 한다. 이성량에 대한 기사는 『명사』 「이성량열전」를 비롯한

이성량 화상. 북경박물관

각종 사료에 차고 넘친다.

90세까지 천수를 누린데다 30년 넘게 요동의 군권을 장악하고 있었던 인물인 만큼 시비가 많았던 것이다. 여기에 누르하치와의 관계를 언급한 사료와 저서가 있어 관심을 끈다. 누르하치가 만주의 패권을 차지하고 흥기하는데 결정적인 도움을 준 사람이 바로 이성량이었다고 저마다 입을 모으고 있기 때문이다.

대표적인 저서가 「청 제국의 건설자」라는 부제가 붙은 『누르하치』라는 제목의 책이다. 누르하치와 초기 청나라 건국과정을 명나라와 청나라 그리고 조선의 사료를 통해 고찰했다고 하는데 저자는 청대사를 전공한 중국 출신 대만의 역사학자 천제셴陳捷先이다.

그는 누르하치의 조상 중 사서에 등장하는 아버지 탁시塔克世와 할아버지 기오창가覺昌安만 조상으로 인정한다. 『청사』에 6대조로 기록되어 있는 먼터무는 누르하치가 자신의 출신이 건주좌위 지휘사의 가문임을 나타내고 그의 후손임을 강조하기 위해 먼터무의 족보에 억지로 끼워 넣은 것으로 보고 있다.

누르하치의 할아버지 기오창가는 건주여진 부족의 작은 추장으로 300여 명에 달했던 위소관 중 한 명이었다. 공시貢市나 마시馬市를 통해 명나라와 교역하면서 명나라 통치에 협력하는 등 부역한 것으로 알려져 있다. 칙서 때문이었다. 조공을 바치면 명나라 조정에서는 몇 배나 많은 경제적 반대급부를 주었으므로 칙서를 확보하기 위해서라면 부역보다 더한 일도 서슴지 않았던 것이 당시 여진사회의 분위기였다. 때문에 왕고王杲 같은 건주 여진 대추장 휘하에 있으면서도 이성량에게 충성을 다했다.

왕고 대추장과는 혼인동맹을 맺는 선에서 타협하였다. 자신의 딸을 왕고의 아들 아타이阿台에게 시집 보냈고 왕고의 손녀딸 액목제額穆齊를 넷째 아들 탁시와 혼인시켜 며느리로 맞았다. 액목제는 누르하치를 비롯하여 3남 1녀를 낳고 누르하치가 10살 때 사망했다. 그녀가 죽자 왕고는 외손자인 누르하치와 그의 동생 슈르하치舒爾哈齊를 볼모로 잡았다. 기오창가가 이성량과 내통하고 있는 것에 대한 경고 차원이 아니었을까 생각된다.

건주여진에서 왕고의 영향력이 커지자 여진족끼리의 경쟁과 분할을 매개로 한 명나라의 통제는 실효를 거두지 못했다. 그가 칙서를 과점하면서 무역권을 장악하였기 때문이다. 이러한 왕고의 칙서 과점은 조공시장인 공시를 폐쇄했다는 이유로 심양과 요양을 침범하는 군사행동으로까지 이어질 정도로 그 영향력이 막강했다.

명나라 입장에서 이러한 칙서 과점 현상은 다분히 위험신호였고 왕고의 행위는 통치방식에 대한 명백한 도전이었다. 이에 대한 응징으로 명나라 조정은 요동총병관 이성량으로 하여금 왕고의 근거지인 구레를 공격하게 했다(1574). 이성량의 집요한 공격에 간신히 몸을 피한 왕고는 얼마 못 가서 잡혔고 북경에서 비참하게 죽었다.

왕고가 죽자 이성량은 왕고의 영토를 탁시에게 물려줬다. 더불어 그에게 건주좌위의 지휘 직책까지 하사했다. 왕고 제거와 관련하여 논공행상 차원의 보상이었다면 왕고를 제거하는데 기오창가와 탁시가 그만큼 중요한 역할을 했다는 반증일 것이다. 이때 왕고의 손에서 벗어난 누르하치는 15살 나이로 이성량 휘하의 소년 병사가 되었다. 지혜가 뛰어나 항상 이성량 수하의 관병을 따라 다녔다고 하는데 인질이었을 가능성도 있다고 한다.

왕고의 아들 아타이는 칙서를 되찾고 아버지의 복수를 위해 절치부심하다 부족의 장졸을 모아 마침내 1582년, 반란을 일으켰다. 1년 여간 계속된 이 반란을 진압하는 과정에서 이성량 군대를 따라 향도로 종군했던 기오창가와 탁시가 명나라 병사에게 살해당하는 사건이 발생하였다. 『청사』에 '구레전쟁'이라고 기록된 이 전쟁에 니칸와일란이라는 인물이 등장하는데 그의 꾐에 빠져 죽임을 당했다는 것이다.

만주어로 '니칸'은 '한족'을 뜻하고 '와일란'은 '비서'를 의미하므로 이를 합치면 '한족비서' 정도되는 직책의 칭호가 된다. 니칸와일란이라 불렸던 인물의 실제이름은 성이 퉁기야佟佳이고 이름이 부쿠루布庫錄이다. 그 역시 기오창가처럼 여진족의 작은 추장으로 명나라 조정에 협력하고 있었기에 니칸와일란으로 기록된 것으로 추측된다. 어쨌든 그는 요동총병관 이성량 휘하에서 부역을 하며 칙서를 두고 서로 경쟁할 수밖에 없었던 기오창가와 탁시를 구레전쟁을 핑계로 제거한 것 같다. 이러한 추측은 사후 처리를 보면 알 수 있는데 그가 아타이의 세력을 모두 물려 받았고 건주좌위 지휘사 지위도 차지했기 때문이다.

누르하치는 할아버지와 아버지의 죽음에 대한 보상으로 이성량으로부터 30통의 칙서와 30마리의 말을 받았다. 당시 칙서는 '건주여진'에 500통, '해서여진'에 1,000통이 배분되었는데 칙서를 소유한 위소관이 300여 명 정도였으니까 일인당 평균 5통의 칙서를 소유하고 있는 셈이었다. 그러므로 30통은 전체 여진족에 부여되는 1,500통의 2%에 해당되는 적지 않은 양이었다.

그러나 칙서보다도 더 중요한 것은 이 사건이 누르하치로 하여금 거병을 할 수 있는 명분을 만들어 주었다는 점이다. 이성량은 오살이라고 해명했지만 누르하치는 니칸와일란이 고의로 자신의 할아버지와 아버지를 살해한 것으로 확신했다. 그 때문에 누르하치는 니칸와일란에 대한 복수를 공언하며 전쟁을 시작하였는데 명나라 조정에서 보기에 '오랑캐 간의 소소한 싸움'으로 비칠 만큼 여진 각 부족에서 그를 따르는 사람은 100여 명에 불과했다고 한다.

그럼에도 불구하고 누르하치는 전술을 앞세워 니칸와일란이 다스리던 투룬성 공격에 나섰다. 니칸와일란이 미리 몸을 피하는 바람에 그와의 대결은 이루어지지 않았지만 투룬성은 누르하치에게 점령당하는 운명을 피하지 못했다. 25세 누르하치의 투룬성 점령과 니칸와일란의 패퇴는 여진사회에 신선한 충격을 던져 주었다.

이 일을 계기로 그의 지위는 급부상하였고 '따르는 자는 덕으로 복속시키고 거스르는 자는 무력으로 굴복시킨다'는 전략으로 주위의 떠도는 세력을 끌어들여 군사력을 키워나갔다. 이때부터 누르하치는 3년 동안 분전하며 니칸와일란을 끝내 응징하였고 여세를 몰아 인근 부락을 차례로 정복하여 그의 나이 31살 때인 1589년, 마침내 건주삼위의 여진족을 통일하였다.

누르하치가 여진사회의 새로운 지도자로 부상하자 이성량은 누르하치에게 은 800냥과 비단 15필을 오살의 대가로 주었고 후견인을 자처했다. 명나라 조정에서도 누르하치를 도독첨사에 임명하고 건주좌위의 관인을 하사했다. 건주좌위의 관인은 원래 영락 연간에 예부에서 만들어 첫 번째 지휘사였던 먼터무에게 교부한 것이었는데 그가 죽자 그의 아들 동산童山과 손자 탈라脫羅가 물려받았다. 가정 연간에는 왕고와 아타이가 이를 절취했으며 니칸와일란도 건주좌위 지휘사에 올라 이 관인을 사용했다.

그러던 것을 명나라 조정에서 드디어 정식으로 누르하치로 하여금 사용하게 한 것이다. 명나라가 '건주여진'의 여러 부족 가운데 누르하치의 부족이 차지하는 합법적 통치지위를 인정한 것이라고 『누르하치』의 저자 천제셴은 해석했다. 이렇듯 이성량과 명나라 조정이 누르하치를 지원하며 힘을 실어 준 이유는 그의 실력을 키워 서쪽으로는 원나라의 몽고 세력을 막고 동쪽으로는 건주를 격리해서 요동의 정세를 안정시키고자 했기 때문이다. 물론 누르하치로부터 받는 뇌물도 무시할 수 없었을 것이다. 이성량이 누르하치의 후견인을 자처한 가장 큰 이유이기도 했다.

여기서 천제션은 전설이란 믿을 수 있는 역사적 사실이 아니라면서도 이성량과 누르하치와의 관계에 대해 사족일지도 모르는 몇 가지 사실을 말하고 싶다고 했다.

> 우선 누르하치의 부친과 조부가 모두 만력 11년(1583)의 전쟁에서 사망했다는 사실이다. 그 후 이성량은 누르하치를 여러 방면으로 보살펴줬는데 당시 명나라 조정의 인사들이 누르하치에 대한 이성량의 비호가 지나치다고 비난할 정도였다. 만력 47년(1619) 누르하치와 명나라 군대가 사르후薩爾滸산에서 결전을 벌일 때였다. 당시 이성량의 아들 이여백李如柏도 대군을 이끌고 참전했다. 그러나 그는 일부러 출병을 늦게 하고 행동을 더디게 하면서 전세를 관망했다. 누르하치 역시 그에게는 활 한 번 쏘지 않았다. 이 일로 인해 이여백은 명나라 조정 간관諫官으로부터 탄핵을 받았고 자신과 누르하치 가문 사이에 '향불을 피워놓고 맺은 정'이 있다고 솔직히 밝혔다. 누르하치와 이성량 집안의 관계는 분명 심상치 않았던 것이다. 전설이 완전히 근거가 없는 거짓은 아닌 것 같다.

이성량은 9명의 아들을 두었다. 장남인 이여송을 비롯하여 차남 이여백, 3남 이여정李如禎, 4남 이여장李如樟, 5남 이여매李如梅 등 5명은 이성량의 뒤를 이어 요동총병관이 되었고 나머지 아들 넷은 모두 참장을 역임하여 당시 사람들이 그의 집안을 일러 '이가구호장李家九虎將' 즉 '이씨 집안의 용감한 아홉 장군'이라 불렀다고 한다.

위에서 이여백이 고백한 '향불을 피워놓고 맺은 정'이 정확히 무엇을 의미하는지는 모르겠지만 1605년쯤에 이여백이 누루하치의 동생 슈르하치의 딸을 첩으로 삼았다는 기록이 있는 것으로 보아 이성량 집안과 누르하치 집안은 통혼을 통해 인척관계로 연결되어 있음을 알 수 있다.

이러한 까닭에 명나라의 운명을 가른 중요한 전쟁 중 하나인 사르후전투에서 이여백이 보여준 기회주의적인 행동을 탄핵한 어사들은 '그가 적과 내통했다면서 누르하치 가족과 통혼을 통한 결의를 맺었기 때문'이라고 주장하기도 했다. 당시 민간에서는 '누르하치 사위가 요동의 진을 지키니 요동이 앞으로 누구에 손에 떨어질지 모르겠구나'라는 노래도 있었다고 한다. 이여백은 훗날 감옥에서 자살로 생을 마감했다고 하는데 목숨을 끊으면서까지 지키고 싶었던 '향불을 피워놓고 맺은 정'이 무엇이었는지 정말 궁금하다.

이성량 자식들의 이해할 수 없는 행동은 이뿐만이 아니다. 이여백이 옥중에서 사망하자 명나라 조정에서는 요동주민의 인심을 얻기 위해 어쩔 수 없이 그의 동생인 이여정을 요동총병관으로 임명했다. 그리고 얼마 지나지 않아 개원과 철령이 누르하치의 공격을 받게 되었다. 각 성에서 구원병을 보내달라고 아우성을 쳤지만 이때도 이여정은 이런 저런 핑계를 대며 원군을 보내지 않았다. 개원은 요양, 철령과 함께 명나라 요동의 3대 중심지였으며 심지어 철령은 자신의 고향이자 거주하는 성이었음에도 불구하고 끝내 원군을 보내지 않았던 것이다. 이 일로 그 역시 탄핵을 받아 옥에 갇히었으나 사형만은 면했다.

흔히 명나라의 쇠락원인을 만력제의 재위기간 중에 발생한 '만력삼대정萬曆三大征'이라 불리는 세 차례의 큰 대외전쟁을 꼽는 학자들이 많다. '만력삼대정'이란 1592년에 몽골 오르도스부의 추장 보바이悖拜가 영하에서 일으킨 반란과 같은 해 조선에서 발발한 조일전쟁, 그리고 1597년 귀주성 파주에서 소수민족인 먀오족의 지도자 양응룡楊應龍이 일으킨 반란을 말하며, 이 전쟁들을 수행하는데 엄청난 재정이 투입됨으로써 국가기능이 마비되고 변방 오랑캐에 대한 통제력이 약화되어 국가위기가 시작되었다고 보는 견해이다.

큰 틀에서 보면 이 삼대정이 명나라의 붕괴를 촉발시키는 촉매체 역할을 한 것은 분명한 사실이다. 하지만 명나라가 누르하치의 후금, 나아가 그의 후손들이 세운 청나라에게 망했다는 사실을 상기하면 누르하치가 흥기하는데 결정적인 도움을 준 이성량 가문이 결국 중국과 조선의 역사에 어떤 식으로든 영향을 끼친 것 또한 분명한 사실이 아닐까?

그대들 두 나라

조선에서 임진왜란이라 불리는 조일전쟁이 발발했던 1592년, 누르하치는 당시 명나라 조정의 병부상서 석성石星에게 편지를 보내 조선을 위해 원군을 보내겠다는 의사를 피력했다. '요동도사' 부총병 조승훈祖承訓이 3천여 명의 원군을 이끌고 조선으로 건너가 고니시 유키나가小西行長 군대가 지키고 있었던 평양성을 공격했다가 참패한 직후였다.

'요동도사' 소속의 병력이라면 대부분이 여진족으로 구성된 기마병이었을 것이다. 조총으로 무장한 2만여 명의 일본군을 3천여 명의 기마병으로 대적하기엔 당연히 중과부적이었고 무모한 싸움이었다.

요동방어가 급선무였던 명나라는 병부시랑 송응창宋應昌을 요동방어 총사령관으로 임명하고 조선에 보낼 병력을 화기부대로 다시 편성했다. 송응창은 원병을 정비하면서 이성량에게 누차 편지를 보내 자문을 구했다고 하는데 이이제이 전술에 탁월한 수완을 발휘했던 이성량은 누르하치 병력을 파병하여 요동총병관으로서의 자신의 위상을 높이려 하였다. 이러한 이성량의 의도를 간파한 누르하치는 명나라에 대한 '보여주기식' 충성의 의미로 기꺼이 파병에 호응했던 것이 아닌가 생각된다.

명나라의 원군을 학수고대하고 있던 1592년 9월, 조선 조정은 명나라에서 날아온 소식에 한바탕 소동이 일어났다. 성절사 유몽정柳夢鼎이 가져온 자문에 "누르하치 병력을 조선에 원군으로 보낸다"는 내용이 있었기 때문이다. 윤두수尹斗壽는 "누르하치 군대가 들어오는 순간 나라가 망할 것"이라며 반대하였고 유성룡柳成龍도 "누르하치의 원조 제의를 받아들이면 훗날 화근이 될 것"이라며 손사래 쳤다. 결국 조선 조정의 강력한 반대로 누르하치의 원조는 실현되지 않았지만 조선이 누르하치와 건주여진의 실체를 다시 인식하게 된 계기가 된 것만은 분명해 보인다.

조일전쟁은 누르하치 세력에게 재정을 확충할 수 있는 절호의 기회를 제공하였다. 그는 이미 건주여진의 몫인 500통의 칙서를 모두 가지고 있었고 요동과 만주에서 활동하던 명나라 상인들, 특히 군량미를 납품하는 진상들과도 오랜 친분을 유지하고 있었기에 전쟁물자가 다급했던 명나라 군대를 상대로 전쟁특수를 누릴 수 있었다. 여기에도 이성량의 후견이 작용했음은 물론이다. 이렇게 축적한 재력을 바탕으로 누르하치는 '해서여진' 4부를 각개격파하며 만주에서의 세력을 점점 불려 나갔다.

조일전쟁이 끝나자 명나라 조정에서는 늦게나마 덩치가 커진 누르하치 세력을 제압하기 위해 제일 먼저 그의 후견인인 이성량을 요동총병관에서 해임시켰다(1608). 그리고 1609년부터 2년간 건주여진의 입공무역을 금지하는 조치를 취함으로써 누르하치의 경제기반을 일순간에 무력화시켰다. 칙서는 휴지조각이 되었고 조선과 갈등을 빚으면서 애써 확보한 인삼도 썩어 나갔다. 또한 '해서여진' 4부 중 그때까지 건재했던 예허부에 대한 지원을 강화하여 누르하치 세력을 견제하려고 했다.

천조장사전별도天朝將士餞別圖. 조일전쟁이 끝나고 철군하는 명나라 군대의 모습을 그린 기록화이다. 조일전쟁에 참전한 동남아시아 용병들과 원숭이 부대도 보인다.

이러한 명나라의 조치들은 누르하치로 하여금 여진족 통일과 독립국 건설이라는 열망을 더욱 강하게 품게 하였다. 이전에도 명나라와 조선을 상대로 외교무대에 등장하여 독립국 건설에 대한 열망을 숨기지 않았던 누르하치였다. '위원의 변'이라 불리는 인삼사건의 전개와 결말을 보면 그런 그의 속마음을 조금이나마 알 수가 있다.

조일전쟁이 한창이던 1595년 여름, 28명의 '건주여진' 주민이 조선의 국경을 넘어와 평안북도 자강도 위원에서 인삼을 몰래 캐다 위원군수 김대축金大畜에 의해 27명이 죽임을 당하고 1명만 겨우 살아 도망간 사건이 발생하였다. 김대축이 공을 세울 욕심에 늘 있었던 단순 도둑질을 무장침략으로 규정하여 벌인 참극이었다. 진상을 파악한 조선 조정에서도 부당한 처사였다고 인정하지 않을 수 없었을 만큼 이 사건의 파장은 컸다.

참사소식은 들은 누르하치는 복수를 위해 대규모로 병기를 제조하고 병마를 모아 압록강이 얼면 곧바로 조선으로 진격할 것임을 천명하였다. 그리고 의도적으로 소문을 퍼트려 조선의 민심을 동요시켰다. 왜란으로 만신창이가 된 조선을 부추겨 명나라로부터 여진족을 대표하는 권위를 얻어내려는 속셈이었다.

임진년에 누르하치의 원군소식을 접했던 조선으로서는 왜란 못지 않게 호란도 걱정해야 했다. 이래저래 감당할 수 없는 난리에 노심초사하던 선조(재위 1567~1608)는 명나라 관리 호대수胡大受를 불러 이 사태의 중재를 부탁하였다. 호대수는 자신의 측근인 여희원余希元을 누르하치에게 보내 선유문을 전달하였는데 그 초고가 『선조실록』 70권, 선조 28년(1595) 12월 14일의 두번째 기사에 실려 있다.

> 그대들 두 나라가 원한을 맺은 것을 차마 앉아서 볼 수 없어서 차관差官 여희원을 보내어 선유하였다頃以爾兩國構怨不忍坐視故差官余希元. 그대들 두 나라가 전에 사람을 차견差遣하여 왕래하지 않은 것은 원래 천조의 법금法禁이 매우 엄하였기 때문이라 한다. 이미 천조의 호령이 있는 이상 그대 두 나라가 사통私通해서는 안 될 것이다. 본부가 그대들의 사정을 가지고 이미 조선 국왕에게 진달하였거니와, 국왕이 본부의 처분을 듣지 아니한 적이 없었으니, 사람을 보내어 국왕과 면대하여 시비를 다툴 필요가 없다. 그대들이 사로잡힌 조선 사람을 송환하기 위하여 조선 변경에 들어가자 조선에서 그를 죽였으니, 그 잘못이 조선에 있는 것 같다.(중략)

여희원과 조선의 여진어 통역 하세국河世國 일행이 압록강을 건너자마자 누르하치 진영의 열렬한 환영과 접대를 받았다고 한다. 심지어 퍼알라성 30리 지점에는 누르하치와 그의 동생 슈르하치가 직접 성에서 나와 일행을 맞이했다고 하는데 그들의 환대에는 그럴만한 이유가 있었다.

선유문에 등장하는 '그대들 두 나라'를 양국兩國으로 표현했기 때문이다. 너무나 당연한 수사지만 조선뿐만 아니라 건주여진도 나라라고 호칭한 것이다. 이 호칭이 누르하치를 크게 고무시키지 않았나 생각된다. 나라의 기틀도 세우지 못한 자신을 조선의 국왕과 동등하게 대하면서 꾸짖고 달래고 협박하는 명나라의 중재가 오히려 그를 기쁘게 했던 것이다. 더욱이 조선은 외교사절단까지 파견하여 사과하는 성의를 보여줌으로써 그의 위상을 더욱 높여 주었다. 이로써 '위원의 변'은 선조의 바람대로 원만히 해결되었다.

이때 퍼알라성에 가서 누르하치를 만나 답서를 전달하고 회첩을 받아온 신충일申忠一은 자신이 보고 들은 것을 꼼꼼하게 기록하여 선조에게 바쳤다. 그의 보고서는 「건주기정도기」라는 제목으로 『선조실록』에 실려 있는데 나무 한 그루 풀 한 포기까지 기록한 탐문보고서의 진수를 보여준다.

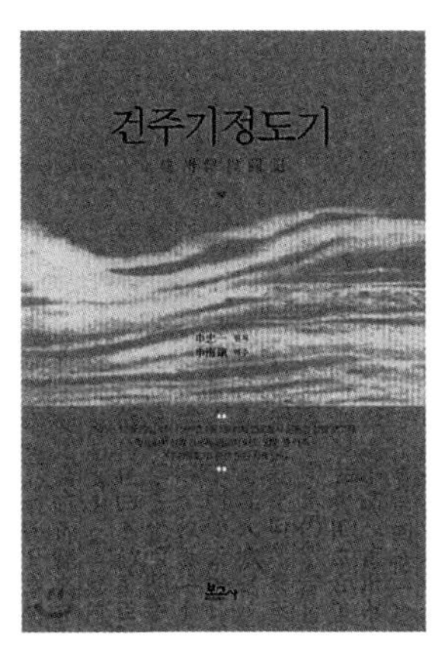

이 사건을 기화로 여진부족 전체를 대표하는 권위를 갖게 된 누르하치는 이때부터 자신의 나라를 향한 열망을 품었던 것 같다. 신충일에게 "앞으로는 무단 월경인을 죽이지 말고 잡

아서 넘겨주어 각자의 국법으로 처리하면 피차 원한이 없을 것이오"라고 말했다는데 '각자의 국법'이라는 대목에서 조선과 대등한 독립국가로 인정받기를 희망한 그의 열망이 읽힌다.

1616년 1월, 조공시장을 봉쇄하고 여진 세력간의 다툼을 통제하는 방식으로 건주여진을 압박해 왔던 명나라에 대항하여 마침내 누르하치는 자신의 나라 '후금'의 건국을 선포한다. 금나라가 몽골에 망한 지 328년 만에 다시 여진족의 나라를 세운 것이다. 그가 그토록 열망했던 독립국가의 개창이었다. 그러나 명나라가 그의 나라 '후금'을 독립국가로 인정할 리 만무했기에 누르하치는 명나라와의 결전을 준비하면서 한편으로 친명 여진세력인 '해서여진' 예허부를 굴복시켜 여진족 통일을 이루고자 하였다. 그래야만 완전한 여진족의 나라가 세워진 것이고 명실상부하게 명나라로부터 독립한 것이라 믿었다.

문제는 경제적 어려움이었다. 독립국 선포는 곧 명나라와의 교역단절과 군사적 대결을 의미했으므로 정치적 독립과 더불어 경제적 종속관계도 청산해야 했다. 필연적으로 물자부족과 같은 경제적 어려움이 따라왔다. 누르하치는 자신의 조상이 그랬던 것처럼 전쟁의 결과로 얻게 되는 전리품으로 이 문제를 해결하고자 했다.

1618년, 60살이 된 누르하치는 칠대한七大恨을 하늘에 고하고 공개적으로 명나라에 선전포고를 했다. 명나라가 자신의 할아버지와 아버지를 살해한 것과 예허부를 지원하여 여진통일을 방해하고 있는 것 등을 칠대한에 담아 비난했다. 자신이 후금을 건설한 것은 명나라가 자초한 일이며 자신이 벌이는 전쟁 또한 정당한 복수전이라는 명분을 획득하기 위한 전략이었다.

마침내 누르하치의 요동정벌이 시작되었다. '위화도회군'으로 고려의 운명을 바꾸었던 2차 요동정벌 이후 200여 년 동안 그 누구도 범접하지 못했던 '요동도사'와의 전쟁을 시작한 것이다. 누르하치는 제일 먼저 명나라 변경도시 무순과 청하를 공격하였다. 무순 성주 이영방李永芳은 누르하치가 이성량 휘하에 있을 때부터 친밀한 사이였다. 그는 곧바로 누르하치에게 투항했으며 훗날 누르하치의 손녀를 아내로 맞이하는 등 후금에 충성을 바친 최초의 한족으로 기록되었다.

무순과 청하가 후금에 넘어가자 명나라의 요동 방어선은 요양까지 밀려나게 되었다. 요양까지 잃게 되면 요동 전체를 상실할 수 있기 때문에 명나라는 반격을 준비했다. 반격의 책임자는 조일전쟁에도 참전했던 양호楊鎬였다. 요동경락에 임명된 그는 원정을 준비하면서 중국 각지에서 장수와 병력을 모으고 군수물자를 비축했다. 아울러 조선에도 사신을 보내 군대의 파병을 요청했다.

1619년 2월, 명나라군 8만 8천 명과 조선군 1만 3천 명 그리고 예허부의 병사 2천 명 등으로 구성된 10만여 명의 명나라 연합군은 요양에서 출정식을 갖고 누르하치의 본거지인 허투알라성으로 진격했다. 양호는 연합군을 진격방향에 따라 네 개의 부대로 나누어 편성했는데 동로군은 관전총병관 유정劉綎이 맡았으며 도원수 강홍립姜弘立이 지휘한 조선군은 이 부대에 속했다. 서로군은 산해총병관 두송杜松이 이끌었고, 남로군은 요동총병관 이여백이 맡았다. 그리고 북로군은 개원총병관 마림馬林이 지휘했으며 예허부는 여기에 소속되었다.

이에 맞선 후금의 병력은 6만여 명이었다. 수적으로는 명나라 연합군이 우세했지만 네 개로 분산되어 공격한 반면 후금군은 빠른 기동력과 정보력에 앞세워 명나라 연합군을 각개격파했다. '사르후 전투'라 불리는 이 전쟁에서 후금군의 전사자는 2백 명에 불과한데 반해 명나라 연합군은 4만 6천 명이 전사한 것으로 기록되어 있다.

『광해군일기』 11년(1619) 5월의 기사에 따르면 비변사는 조선 군사가 최대 9천여 명이 전사했다고 보고했다. 전투병력으로 1만 명이 참전했으므로 대부분 전사한 것이다. 조일전쟁을 겪으면서 조총의 위력을 실감한 광해군(재위 1608~1623)은 총기류와 화약을 구입하고 훈련도감을 창설하여 포수를 집중 육성했다. 명나라도 이러한 사실을 알고 있었기에 조일전쟁 때 베푼 '재조지은再造之恩'을 상기시키며 파병을 강요했던 것이다.

조선의 전투병력은 조총 포수 3,500명, 활 사수 3,500명 창 살수 3,000명이었다. 광해군은 이들을 파병하면서 살아서 돌아올 것을 신신당부했지만 전쟁터에서의 생사는 아무도 장담할 수 없었다. 강홍립이 지휘한 조선군은 제대로 싸워보지도 못하고 한 번 패배 후 곧바로 누르하치에게 항복했다. 은폐 엄폐를 할 수 없는 평지에서는 제아무리 뛰어난 포수부대라도 기동력이 뛰어난 철기부대를 당해낼 수 없었던 모양이다. 한 번의 패배가 곧 전멸이었으니 항복하지 않을 수 없었다.

사르후 전투에서 참패한 명나라는 요동의 지배권을 상실하고 요하 서쪽으로 물러났다. 승기를 잡은 누르하치는 6월에는 개원을, 7월에는 철령을 점령하였으며 8월에는 '해서여진' 예허부를 멸망시키고 마침내 여진을 통일하였다. 이때만 해도 누르하치는 중원의 주인이 되겠다는 꿈을 꾸지 않았다고 한다. 언감생심 그럴 형편도 못 되었다. 다만 명나라로부터 '조선국왕'처럼 독립국 군주라는 정치적 지위를 인정받고 그에 합당한 경제적 권리를 보장받기를 원했을 뿐이다.

사실 누르하치에게 조선은 늘 선망의 대상이었다. 그는 자신의 6대조인 먼터무가 같은 여진족 출신 이성계와 왕업을 도모하여 조선을 개국했다고 믿고 있었으며 먼터무가 조선으로부터 상호군이라는 벼슬을 제수 받은 사실도 잘 알고 있었다. 그래서 그는 건주여진의 합법적 통치지위인 도독첨사가 되었을 때 수시로 사신을 조선에 파견하여 우호 관계를 맺기를 청하였다.

그러나 조선은 종속국이 종주국을 배신하고 다른 국가와 사적으로 왕래할 수 없다는 이유를 들어 모든 제의를 거절했다. 여진족에 대한 지배력을 상실한 지 이미 오래되었고 무엇보다도 여진족=오랑캐=금수라는 인식이 조선사회에 만연하였기에 명나라의 눈총을 받아가며 누르하치와 통교할 이유가 하등에 없었던 것이다.

1619년 가을, 누르하치는 명나라가 자신을 '만주국왕'으로 책봉하고 세폐를 제공할 것을 조건으로 평화회담을 제의했다. 그러나 명나라는 회담 자체를 거부했다. 비록 요동에 대한 지배권을 상실했지만 명나라에게 있어 누르하치는 여전히 변방의 기미주일뿐이었다. 협상은 이루어지지 않았고 오직 정복전쟁만이 그에게 정치적 지위와 경제적 권리를 보장해 주었다. 이러한 까닭에 누루하치는 1626년 사망할 때까지 만주벌판을 종횡무진 달려야 했다. 1620년에는 요양과 심양을, 이듬해인 1621년 초에는 요하 동쪽의 70여 개 성시를 모두 장악하였으며 서정西征을 시작한 1622년에는 요하 서쪽인 광녕을 점령하였다.

그러나 요서와 중원을 공략해 명나라를 협상장으로 끌어내려는 그의 도전은 1626년 영원성에서 한 번의 패배로 멈추었다. 심신이 지칠 대로 지친 누르하치는 끝내 병마를 이기지 못하고 그해 여름 사망했다. 그때 그의 나이 68세였다.

예로써 책망할 수 없다면 짐승과 다름없다

우리나라 역사에 기록된 변란 중에 가장 참혹한 난리를 꼽으라면 7년 동안 지속된 왜란보다 불과 47일만에 끝난 호란을 꼽는 학자들이 더 많다. 전쟁의 참혹함만 보면 임진왜란과 정유재란은 그때까지 조선이 한 번도 겪어보지 못했던 대참사임에 틀림없지만 임금이 무릎을 꿇고 머리를 조아리며 항복한 것도 모자라 수십만 명의 백성들이 전쟁포로로 끌려간 병자호란은 많은 사람들에게 두고두고 씻을 수 없는 상처를 남겼기 때문이다.

전국 각지에서 의병이 들불처럼 일어나 일본군과의 싸웠던 왜란을 국난극복 전쟁이었다고 평가하면서도 의병은커녕 관군조차 출병하지 않은 호란을 두고는 '조선은 이때 망했어야 했다'며 이 전쟁 자체를 평가절하하는 학자도 있다. 왜란과 호란 사이엔 불과 38년이라는 세월의 간극만 있을 뿐인데 양란을 평가하는 시각이 이토록 다른 이유는 무엇일까?

누르하치가 요하를 건너 한창 서정을 벌이고 있었던 1623년 3월, 조선에서는 왕과 집권세력이 바뀌는 정변이 일어났다. 이 정변으로 광해군은 왕위에서 쫓겨났고 북인은 몰락했다. 반정을 주도한 세력은 서인과 남인이었는데 그들과 함께 반정에 참여한 능양군 이종李倧이 훗날 인조라는 묘호를 받았기에 이 정변을 인조반정이라 부른다.

반정에 성공한 능양군은 인목대비에게 옥쇄를 받고 경운궁에서 즉위식을 올렸다. 즉위식에서 발표된 인목대비의 교서에는 광해군을 폐위하게 된 죄목 열 가지가 나열되어 있다. 이복동생인 영창대군을 죽이고 계모인 인목대비를 폐한 '폐모살제廢母殺第'부터 명나라의 재조지은을 잊고 여진족과 손을 잡았다는 것들이 죄목으로 꼽혔다.

특히 '사르후 전투'에서 조선군에게 '싸우지 말고 후금군에게 투항하라'는 의미로 '관형향배觀形向背' 밀지를 내렸으며 이후 명나라가 요청한 지원군을 거절한 일도 죄목이 되었다. 한마디로 명나라에 배은망덕하였으니 폐위당해 마땅하다는 것이었다.

'관형향배'라는 말은 '형세를 파악하여 현명하게 행동하라'는 뜻이었을 것이다. 그럼에도 불구하고 반정을 합리화하기 위해 광해군에게 덧씌운 이 배은망덕의 굴레는 300년 가까이 지속되다 조선이 망하고 나서야 사라진다. 굴레를 벗으니 오히려 명·청 교체기에 중립외교와 균형외교를 펼침으로써 조선의 피해를 최소화했다는 평가를 받고 있다.

당시 재조지은을 내세우며 명나라와의 의리를 지켜야 한다고 외쳤던 사대부들의 반대를 무릅쓰고 행한 일이라 더욱 용기 있는 결정이었다는 것이 그를 개혁군주로 평가하는 학자들의 공통된 의견이다.

광해군에게 있어 명나라는 결코 잊어서는 안될 재조지은의 나라가 아니라 작란의 나라였다. 명나라 조정은 선조 말년부터 광해군이 장자가 아니라는 이유를 들어 왕세자로 승인하는 것을 거부했다. 심지어 1608년 왕위에 오른 이후에도 광해군이 형 임해군을 제치고 즉위한 까닭을 조사하겠다고 사문관을 파견하였는데 만애민萬愛民과 엄일괴嚴一魁가 조선에 와서 임해군을 만나 광해군 즉위 전후의 전망을 캐물었다고 『연려실기술』은 전하고 있다.

명나라 조정의 광해군 길들이기를 매번 막대한 뇌물로 무마해야 했던 광해군으로서는 명나라의 요구가 거듭될수록 그만큼 거리를 두지 않을 수 없었던 것이다. '사르후 전투' 패배 이후 광해군이 명나라에서 요청한 지원군을 보내지 않은 이유는 파병할 병력이 없었기 때문이기도 했지만 원군을 보내도 승산이 없다고 판단했기 때문이다.

이러한 그의 결정을 후금과 내통한 결과라고 의심한 명나라 조정에서는 급기야 조선에 직접 관리를 파견하여 감시해야 한다는 감호론이 일어났고 예부상서 서광계徐光啓는 자신이 직접 가서 조선을 통제하겠다는 상소를 올리기도 했다.

명나라 조정의 조선 길들이기는 16~17세기 자국 중심의 동아시아 질서가 무너지고 있는 것에 대한 초조함이 번국에 대한 의심과 경계라는 양상으로 나타났기 때문이라는 시각이 있다. 조일전쟁 개전 초기에 '조선이 고의로 일본군을 끌어들여 요동을 차지하려 한다'는 유언비어가 나돈 것과 피난길에 오른 선조의 얼굴을 확인하고서야 원군을 보낸 것도 다 그런 이유 때문이라는 것이다.

명나라의 의심과 경계를 반정의 명분으로 이용했던 인조도 정작 자신이 책봉을 받는 과

정에서 광해군보다 더한 굴욕을 당했다. 인조 책봉을 요청하기 위해 명나라에 사신으로 갔던 이민성李民宬이 기록한 『조천록』에 따르면 명나라 조정은 인조반정을 쿠데타에 의한 왕위찬탈로 인식하여 책봉을 완강히 거부했다고 한다.

그러다 명분보다는 현실을 앞세워 먼저 임시 국왕 격인 '권서국사權署國事'에 임명한 후 후금과의 전쟁에서 공을 세우면 책봉하겠다는 조건을 제시했다가 시의성에 맞지 않는다고 판단했던지 '명나라를 위해 후금과 적극적으로 맞선다'는 조건으로 책봉을 허락했다는 것이다. 말하자면 '조건부 책봉' 이었다.

이렇게라도 책봉을 받을 수 있었던 것은 당시 요동총병관이라는 직함을 가지고 조선에 머물고 있던 모문룡毛文龍의 역할이 컸다. 모문룡이라는 명나라 장수의 이름은 『조선왕조실록』에 580번이나 언급되어 있을 정도로 우리 역사에서 빼놓을 수 없는 인물이다. 조일전쟁에 참전했던 이여송보다 사람들의 입을 통해 더 많이 회자되었을 것이다. 대부분 부정적으로 묘사된 그에 대한 기록은 『인조실록』 1628년 10월 17일자 기사가 말해주는 것처럼 '짐승과 다름없는' 인물로 평가되어 왔다. 호란도 그로부터 시작되었다는 것이 학계의 정설이다.

1618년, 누르하치가 '칠대한'을 하늘에 고하고 본격적으로 명나라에 공세를 취하자 조선에서는 예상치 못한 문제가 발생했다. 전쟁터가 된 요동에 거주하는 명나라 주민, 즉 요민遼民과 패잔병들이 난민이 되어 대거 조선으로 몰려온 것이다. '사르후 전투'가 있었던 1619년과 후금이 요양과 심양을 점령한 1620년 이후로 난민의 수는 점점 늘어나 1621년에는 그

수가 10만 명이 넘었다.

이 무렵 요동총병관 모문룡도 난민들과 함께 조선 영내로 들어왔다. 그는 철산, 용천, 의주 등 압록강변의 여러 고을에 흩어져 있던 명군 패잔병과 요민들을 규합하여 어느 정도 세력이 형성되자 요동수복을 호언장담하며 후금을 자극했다.

광해군은 이들 난민들이 언젠가는 조선에 큰 화근이 될 거라 판단하고 평안도 국경지대 수령들에게 일러 난민들이 조선 영내로 들어오지 못하도록 했다. 그는 모문룡이 조선에 머물고 있다는 이유로 덩달아 병화兵禍를 입지 않을까 노심초사했는데 우려했던 대로 1621년, 슈르하치의 아들인 아린阿敏이 모문룡을 잡으러 5천 명의 병사와 함께 압록강을 건너왔다.

후금군은 의주, 가산, 용천 등을 습격하여 명군 패잔병과 요민들을 참살하며 모문룡의 행방을 쫓았다. 모문룡은 조선인 복장으로 위장하고 간신히 탈출했다. 광해군은 모문룡을 평안도 철산 앞 바다에 있는 섬 가도로 들여보냈다. 철기부대가 주축인 후금군은 상대적으로 수군이 약하기 때문에 육지보다는 섬이 더 안전하다고 둘러댔지만 그를 섬에 묶어 두는 편이 그나마 후금을 자극하지 않는 방편이었다. 가도에 둔거하고 있던 모문룡의 존재를 부각시킨 계기는 인조반정이었다. 정변을 통해 즉위한 인조가 명나라의 책봉을 받는 과정에서 모문룡의 도움이 필요했기 때문이다.

당시 명나라 조정은 환관 위충현魏忠賢이 이끄는 엄당이 실권을 장악하고 있었는데 같은 엄당파 장수인 모문룡을 통해 정변의 진의를 알아보고자 했다. 광해군에 의해 가도에 안치되다시피 했던 모문룡에게 인조반정은 다시 조선 영내로 들어갈 수 있는 절호의 기회였다. 그는 인조의 책봉에 힘을 보태겠다며 후견인을 자처했는데 모문룡에게 건넨 뇌물의 일부는 위충현에게 전달되었으며 그가 이끄는 엄당이 나서서 조건부나마 책봉을 추인 받게 했던 것이다.

그러나 인조의 굴욕은 이것으로 끝난 게 아니었다. 인조반정을 기록한 명나라 사서 『희종실록』과 『양조종신록』에서는 여전히 이 정변을 '왕위찬탈'로 명시하고 있었던 것이다. 나중에 이 사실을 알게된 인조와 서인정권은 명나라 조정과 교섭하여 이 문구를 삭제하려 했으나 명나라가 망하는 바람에 무산되었다.

이후 조선에서는 이 문구의 삭제가 국가적 과제가 되었다. 이 내용을 삭제하지 않으면 인조의 뒤를 이은 역대 왕들은 모두 난신적자亂臣賊子가 되기 때문이다. 줄기차게 변무사를 청나라에 보내 설득한 끝에 영조(재위 1724~1776)대에 개인 기록물인 『양조종신록』의 기록에서 이 문구는 삭제되었지만 국가 기록물인 『희종실록』의 기록은 끝내 수정하지 못했다.

모문룡의 존재는 '이괄李适의 난' 때 더욱 부각되었다. 이괄의 반란세력이 모문룡 세력과 연계하여 군사적 위력을 더하고 행여 명나라에서 이 반란을 승인이라도 하게 되면 인조의 책봉은 한순간에 물거품이 되는 것이었다. 인조는 반란 초기에 모문룡과 친했던 이상길李尙吉을 가도에 급파하여 이러한 사태가 일어나지 않도록 손을 썼다. 뿐만 아니라 도성이 함락될 위기에 처하자 모문룡에게 자문을 보내 원병을 요청했다. 이때 접반사로 가도에 갔던 윤의립尹毅立은 모문룡의 군대가 육지로 나왔을 때 일어날 상황을 우려하여 자의로 원병요청을 취소했다.

윤의립의 우려는 곧 현실이 됐다. 인조와 조선 조정이 모문룡을 '은인'으로 여겨 조선 영내진입을 허락하자 10만 명에 달하는 그의 병사들과 요민들이 조선에 상륙하여 청천강 북쪽지역인 청북지방을 휩쓸고 다녔다. 그들의 패악질은 심각했다. 청북지방에 거주하는 백성들이 그들의 횡포를 견디다 못해 정든 고향을 떠날 정도였다. 명나라 외교를 담당했던 이정구李廷龜는 그들을 방치하면 청북은 조선에서 사라질 것이라고 경고하기도 했다.

더 심각한 것은 그들이 종종 압록강을 건너 후금의 점령지역까지 들어가 요민들의 탈출을 돕거나 반란을 선동하여 후금을 계속 자극하는 행동을 한 것이다. 요민들의 탈출은 곧 농사인력의 손실이었으므로 요동을 정벌하여 경제적 어려움을 농업으로 타개하려 했던 후금에게 모문룡은 눈에 든 가시 같은 존재였다. 더욱이 인조와 조선 조정이 공공연히 숭명배금을 천명하며 그를 지원하고 있었기에 조선과 명나라와의 연결고리를 끊기 위해서라도 반드시 그를 제거해야 했다.

그런데도 누르하치가 살아있는 동안에는 이를 위해 조선에 어떠한 위력도 행사하지 않았다. 조선이 자신들의 배후에 있는 만큼 정벌보다는 포용하여 전선을 확대시키지 않는 편이 전략상 유리했기 때문이다. 그러나 누르하치가 사망하고 그의 8남 홍타이지皇太極(재위 1626~ 1643)가 칸汗으로 즉위하자 분위기가 달라졌다. 형제들과 연정을 해야 할 만큼 권력기반이 약했던 홍타이지는 조선정벌을 자신의 권력을 강화하는 계기로 삼으려 했다. 이렇게 해서 시작된 전쟁이 1627년 1월에 발발한 정묘호란이다.

후금의 선봉장은 이번에도 아린이었다. 그는 3만 6천 명의 군사를 이끌고 1월 13일, 압록강을 건넜다. 도하장비가 부족했던 당시로선 강물이 얼어야 대규모 군사를 움직일 수 있었다. 그래서 호란은 꼭 한겨울에 시작되었다. 후금의 병사들이 압록강을 건넜다는 소식을 들은 모문룡은 재빨리 가도를 떠나 신미도로 도망쳤고 열흘 뒤 후금군이 평양까지 남하하자 인조도 강화도로 몸을 피했다. 전쟁을 지휘해야 할 핵심 인물들이 자기만 살겠다고 싸우기도 전에 패배하여 도망가기에 바빴던 것이다. 이렇듯 조선이 제대로 대응하지 못하고 인조가 서둘러 강화도로 몽진해야 했던 이유는 '이괄의 난'으로 평안도 지역수비를 담당했던 군대가 이괄과 함께 사라져버렸기 때문이다. 그나마 남아 있는 군대도 역모를 우려한 기찰정치의 폐해로 군사훈련을 제대로 하지 못해 전력이 형편 없었다.

전쟁이 장기화할 조짐을 보이자 후금이 먼저 화친을 제의했다. 명나라와 국교를 단절하고 양국관계를 형제의 관계로 하되 조선이 아우가 되는 조건이었다. 오랑캐와 화친했다는 구실로 광해군을 폐위한 인조와 서인정권으로서는 후금과 화친하는 것 자체가 반정의 명분을 거스르는 일이었기에 곤욕스러울 수밖에 없었다. 더욱이 명나라와의 국교단절은 재조지은을 배신하는 것이었으므로 나라가 망하더라도 그런 조건으로는 화친할 수 없다고 완강히 버티었다.

그러자 후금은 조선과 명나라와의 국교단절 조건을 철회하였고 양국이 형제의 관계를 맺는다는 선에서 합의를 보았다. 이로써 전쟁 발발 50일만에 정묘년 호란은 끝났지만 반정의 명분이 퇴락한 서인정권의 시대착오적인 국정운영은 향후 조선의 백성들을 더 깊은 수렁으로 몰아갔다.

한편 정묘호란에서 살아 남은 모문룡은 자신의 도피행위를 정당화하기 위해 호란의 원인제공과 전쟁책임을 모두 조선에 떠넘겼다. 조선이 후금군을 끌어들여 자신의 병사들과 요민들을 도살했다고 억지 주장을 편 것이다. 나아가 후금과의 강화체결은 명나라의 은혜를 배신한 패륜행위라며 조선 조정을 맹비난했다. 결국 조선에서 명나라에 보낸 정묘호란 전말 보고서에는 모문룡의 군공으로 후금이 패주한 것처럼 적시하였고 명나라 천계제(재위 1620~1627)는 이에 속아 그에게 쌀과 은을 하사했다고 한다.

그러나 모문룡의 사기행각은 오래가지 않았다. 천계제가 사망하고 명나라 마지막 황제인 숭정제(재위 1627~1644)가 즉위하자 섭정을 맡았던 서광계는 국정농단의 책임을 물어 모문룡의 든든한 후원자였던 환관 위충현을 탄핵하였다. 엄당은 실각하였고 그 자리를 엄당과 권력을 다투었던 동림당이 차지했다.

동림당에서는 위충현의 세력을 완전히 뿌리뽑기 위해 요동경략 원숭환袁崇煥으로 하여금 모문룡을 제거할 것을 부추겼다. 원숭환은 '영원성 전투'에서 누르하치에게 생의 첫 패배를 안길 정도로 지략이 뛰어난 장수였다. 평소 모문룡의 장수답지 못한 행태를 비난해 온 터라 모문룡을 쌍도로 초치하여 전격 처단하였다. 참수에 앞서 원숭환은 모문룡이 저지른 12가지 죄악을 열거하며 질책했는데 모문룡은 겁에 질려 아무 말도 못했다고 한다.

조선에 그토록 민폐를 끼치고 예로써 책망할 수 없을 정도로 패악질을 일삼아 '짐승과 다름없는' 인간이라는 욕을 들었던 모문룡이었지만 그가 그런 짓을 할 수 있도록 멍석을 깔아주고 방기한 것 역시 우리 역사의 한 단면이 아니었을까?

네 개의 비석이야기

비석은 돌에 글을 새겨 사적을 기리고 그 사실을 후대에 전하기 위해 세운 조형물이다. 왜란과 호란을 겪으면서 조선땅에는 이와 관련된 네 개의 비석이 세워졌다. 개중 한 개는 현재 남한 땅에 남아있어 역사적 의의를 확인할 수 있지만 북한 땅에 세워진 것으로 알려진 비석 세 개는 현존 여부를 알 수가 없다.

네 개의 비석 중 제일 먼저 살펴볼 빗돌은 이여송 송덕비이다. 『선조실록』 1593년 1월 12일자의 기사를 보면 당시 병조판서였던 이항복李恒福이 어전회의에서 이여송의 송덕비와 사당 건립을 건의하는 내용이 나온다.

> 기성箕城을 회복할 수 있었던 것은 오로지 이 제독의 공이니 공덕을 찬송하는 등의 일을 빠뜨릴 수 없습니다. 생사당을 짓고 형상을 설치하며 비碑를 세워 명銘을 새기고 개선할 때에 백관이 길 왼편에서 영접하며 배사拜謝를 드리는 것이 옳습니다.

여기서 '기성'은 평양성을 가리킨다. 조선시대 사대부들은 평양을 기자

箕子의 도읍지라는 뜻에서 기성이라 불렀다. 조일전쟁의 분수령이 되었던 '평양성 전투'는 이여송이 이끈 명나라 원군 4만 3천 명과 도원수 김명원金命元이 지휘한 조선군 8천 명, 그리고 서산대사와 사명대사가 이끈 승병 2천 2백 명 등이 합세하여 고니시 유키나가가 점령하고 있었던 평양성을 왜란 발발 후 7개월 만에 탈환한 전투를 말한다. 이 전투에서 일본군 2만여 명 중 1만 2천여 명이 사망했는데 조명연합군의 피해 또한 이에 못지 않았을 것이다.

생사당을 짓고 형상을 설치하자는 이항복의 건의는 살아 있는 사람이라도 사당에 화상을 걸고 배향하자는 것이었다. 그의 건의에 따라 평양성 서문에 무열사가 세워졌으며 이여송과 그의 동생 이여백, 병부상서 석성, 도독 양원楊元과 장세작張世爵 등 명나라 장수 5명의 화상을 걸고 봄가을로 제사를 지냈다고 하는데 정조(재위 1776 ~1800) 대에 낙상지駱尙志가 추가되어 총 6명이 배양되었고 1908년(순종 2)에 와서야 국가적인 차원에서 제사를 지내는 모든 절차가 폐지되었다.

당시 함께 건립된 것으로 알려진 이여송 송덕비의 현존 여부는 알 수 없다. 훼철되었다면 일제 강점기 때 일본에 의해 철거되었을 가능성이 높다. 다만 이들 명나라 장수들이 '평양성 전투'에 참가한 것은 고작 3일인데 비해 조선에서는 이들의 화상을 걸어 놓고 무려 315년 동안 봄가을로 제사를 지냈다는 사실이 놀라울 따름이다.

이항복의 건의에서 보듯 선조와 조정대신들은 왜란이라는 국란을 극복하는데 있어 제일 큰 공로를 명나라 원군에게 돌리고 그들을 불러온 주체가 자신들임을 부각하여 실추된 왕권과 지배층의 권위를 만회하려는 의

도로 사당을 짓고 비석을 세웠다. 이러한 의도는 왜란 이후 논공행상에 그대로 반영되어 이순신李舜臣과 권율權慄 등 몇몇 명장들만 선무공신에 책봉했을 뿐 국난극복에 앞장 섰던 의병장들과 의병에 참가했던 백성들은 단 한 명도 그 명단에 끼지 못했다. 반면 선조를 따라 의주까지 도망 가서 명나라에 파병을 청했던 정곤수鄭崑壽와 그때 선조를 호종했던 대신들만 일등공신에 봉해졌다.

이후로 거의 망하게 된 조선을 도와준 명나라의 은혜라는 뜻인 '재조지은再造之恩'은 병자호란의 치욕을 '존명의리尊明義理'라는 허상으로 만회하고 싶었던 인조와 서인정권의 허위의식과 결합하여 조선이 망할 때까지 명나라 장수들의 제사상이 이 땅에 차려진 것이다.

우리는 '충무공忠武公'하면 으레 이순신을 떠올린다. 문반과 무반으로 구성된 조선시대 양반 지배층 중 무반이 받을 수 있는 최고의 시호는 단연 '충무공'일 것이다. 이순신을 비롯하여 조영무趙英茂, 이준李浚, 남이南怡, 김시민金時敏, 이수일李守一, 김응하金應河, 정충신鄭忠信, 구인후具仁垕 등 모두 9명의 장수들이 '충무공' 시호를 받았다. 이들 중에 두 번째 빗돌의 주인공은 '충무공 김응하'이다. 김응하는 단 한번 참가한 전투에서 장렬하게 죽음으로써 일약 영웅이 된 장수이다.

그가 참가한 전투는 명나라가 요동의 지배권을 누르하치에게 빼앗긴 그 유명한 '사르후 전투'이다. 조선의 전투병력 1만 명 중 최대 9천 명이 전사한 것으로 알려진 이 전투에서

김응하는 '관형향배'의 의미를 따질 겨를도 없이 싸우다 몰살당한 비운의 장수였다. 하지만 칼을 맞고 화살을 고슴도치가 되도록 맞으면서까지 항전의 의지를 꺾지 않았던 용감한 장수이기도 했다. 그러나 김응하가 '충무공' 시호를 받게 된 연유는 이 용감함 때문만은 아니었다.

그러한 사실을 엿볼 수 있는 책이 「논개부터 임경업까지 소설로 기억된 조선시대 전쟁과 인간」이라는 부제가 붙은 『나라가 버린 사람들』이라는 책이다.

칼을 맞고도 화살을 고슴도치가 되도록 맞고도 용감히 싸우고 있는 김응하(위)와 누르하치에게 업드려 항복하는 강홍립(아래). 김응하 문집 『충렬록』에 실린 그림이다.

김응하 묘정비

고소설 『김장군전』과 『광해군일기』 등 사료를 분석한 이 책에 따르면 '사르후 전투'가 개시된 것은 1619년 3월 4일이었다. 싸움이 시작된 그날 김응하는 장렬하게 전사했고 강홍립은 누르하치에게 투항했다.

김응하의 사망소식은 평양감사의 장계를 통해 3월 12일에 조정에 전해졌는데 그로부터 일주일 후인 3월 19일, 그에게 자헌대부 겸 호조판서가 추증되었고 5월 6일에는 명나라 장수가 지나는 길목에 그의 사당을 건립하라는 왕의 전교가 내려졌다.

이어 6월 21일에는 그 사당에 충렬忠烈이라는 편액이 하사되었으며 그의 죽음이 널리 알려진 후에는 여러 문사들이 그를 위해 만시輓詩를 짓고 초상을 그려 애도했다. 1621년 가을에는 『김장군전』을 중심으로 한 『충렬록』이 간행되었다. 조일전쟁으로 폐허가 되다시피 한 나라가 아직 제대로 수습되지도 못했던 시기에 죽은 지 두 달 만에 전격적으로 김응하의 사당이 건립되고 곧이어 왕이 사액까지 했다는 사실은 아무래도 의도성이 짙어 보인다고 저자인 서신혜는 주장한다.

『광해군일기』 11년 5월 6일자의 기록에서 보듯 왕이 정확하게 '중국 장수가 지나는 곳'에 사당을 세우라고 전교한 것을 주목할 필요가 있다는 것이다. 중국 장수가 지나는 곳이라면 그곳은 평안도 의주인 듯싶은데 사당

뿐만 아니라 충혼비도 함께 세웠다고 하니 그들의 눈에도 쉽게 띄었을 것이다. 이렇게 재빠르고 일관적인 행동은 다분히 명나라에게 보이기 위한 전시행정이었으며 그들의 의심을 피하기 위한 국방외교적인 일이었다는 것이 저자의 주장이자 학계의 공통된 의견이기도 하다.

결국 광해군은 김응하의 죽음과 강홍립의 투항을 통해서 명나라도 달래고 후금에게도 원한을 사지 않는 일을 동시에 이룰 수 있었으며 이것이 당시 조선이 처한 현실에서 유일한 생존법이었다는 것이다. 광해군 시대에 외교적 실리와 각 정파간의 이해관계가 맞아 떨어져 김응하의 이름이 빛났다면 인조반정과 병자호란 이후에는 존명의식와 성리학적 명분론 그리고 정권유지 차원에서 그의 이름이 더욱 헌창되었다.

강원도 철원에 그의 묘정비가 남아 있는데 송시열이 짓고 사헌부 지평인 박태웅이 글씨를, 영의정 김수항이 제자를 쓴 것으로 유명하다. 조선시대만큼은 아니지만 여전히 추앙의 대상인 그를 두고 학계에서는 정치권력에 의해 너무 신격화되었다는 비판이 있는 것도 사실이다.

세 번째 빗돌의 주인공은 『인조실록』에 '짐승과 다름없는' 인물로 기록되어 있는 모문룡의 송덕비이다. 그의 송덕비는 인조의 책봉을 도와준 공적을 기리는 차원에서 평안도 안주에 세워졌는데 이 비석 또한 조선을 오가는 명나라 사신들에게 보여주기 위함이었다고 한다.

비문은 인조반정의 원훈인 김류金瑬가 지었다. 그래서인지 몰라도 비문의 내용 중 상당 부분은 모문룡의 은혜를 배신한 광해군의 배은망덕을 질타하는 내용으로 채워져 있다. 심지어 1621년 슈르하치의 아들인 아린이 모문룡을 잡으러 5천명의 병사와 함께 압록강을 건너온 것도 광해군의 밀지를 받은 의주부윤 정준鄭遵이 모문룡을 제거하기 위해 고의적으로 유도한 것이라고 주장하며 그런 광해군을 왕위에서 끌어내린 자신들의 쿠데타가 마치 모문룡의 은혜에 보답하기 위한 충정인양 기술하였다. 나아가 김류는 모문룡이 조선을 후금으로부터 지켜주고 동방의 백성들을 보호해 준 덕과 은혜가 하늘과 같다고 찬양하면서 모문룡이 요동 수복의 대업을 이룰 것이라며 그의 앞길을 축원하였다.

아무리 전시행정차원이었다 하더라도 사적을 기리고 그 사실을 후대에 전하기 위해 세운다는 비석의 효용을 생각했을 때 모문룡 송덕비는 인조반정 공신들이 자신들의 왕위찬탈 쿠데타를 합리화시키기 위한 여러 가지 구실 중 하나로 모문룡을 이용한 것이 아닌가 생각된다. 이러한 행위들이 나중에 부메랑이 되어 결국 자신들의 권력기반을 흔들고 조선사회에 커다란 민폐가 될 줄은 미처 생각하지 못했을 것이다.

마지막으로 살펴볼 빗돌은 그 유명한 삼전도비三田渡碑이다. 일명 대청황제공덕비라고도 부르는 이 비석은 우리 역사를 통틀어 가장 치욕적인 기록물이라는데 이의가 없다. 1637년 1월 30일, 인조는 남한산성에서 내려와 삼전 나루에 주둔한 청나라 태종 홍타이지에게 세 번 무릎을 꿇고 아홉 번 머리를 조아리는 '삼궤구고두三跪九叩頭'의 예를 행하며 항복을 고하였다. 홍타이지는 항복을 받은 자리에 전승을 기념하고 자신의 공덕을 찬양하는 비석을 세우게 하였는데 이 비석이 바로 삼전도비이다. 국가 사적으로 지정된 문화재 중에 유일한 비석이라고 한다. 그 비문은 당시 이조판서 겸 홍문관 대제학인 이경석李景奭이 지었다. 『인조실록』 1638년 2월 8일자의 기사를 보면 장유張維와 이경석이 지어 청나라에 보낸 삼전도 비문을 범문정范文程이 이경석의 글을 채택하여 중간에 첨가한 말을 넣어 고쳐 쓰도록 했다는 내용이 나온다.

장유와 이경석이 지은 삼전도 비문을 청나라에 들여보내 그들로 하여금 스스로 택하게 하였다. 범문정 등이 그 글을 보고, 장유가 지은 것은 인용한 것이 온당함을 잃었고 경석이 지은 글은 쓸 만하나 다만 중간에 첨가해 넣을 말이 있으니 조선에서 고쳐 지어 쓰라고 하였다. 상이 경석에게 명하여 고치게 하였다. 그 글은 다음과 같다.

380년이 지난 세월의 풍상에도 삼전도비는 그날의 치욕을 묵묵히 증거하고 있다.

실록에는 '그 글은 다음과 같다'고 한 내용으로 삼전도비 전문이 실려 있다. 흥미로운 것은 범문정이 중간에 첨가하여 고쳐 쓰라고 한 원문이 최근에 대만에서 발견되었는데 그 내용이 삼전도비 전문과 거의 같아서 삼전도비는 범문정이 짓고 이경석은 단지 조선에서 지어 올린 것처럼 화자만 바꿔 쓴 것이 아닌가 하는 추론도 충분히 가능성이 있어 보인다는 점이다.

범문정은 당시 청나라의 핵심 권력기관인 비서원 대학사였다. 명나라의 명장 원숭환을 제거하는 반간계를 기획하고 실행한 한족 출신의 책사로 청나라가 중원을 원활히 통치할 수 있는 기반을 닦는데 결정적인 역할을 했다는 평가를 받고 있는 인물이다. 어쨌든 이경석은 "문자를 배운 것이 후회스럽다"며 비문을 지은 것을 평생 마음의 짐으로 여기며 살았다고 하는데 그런 그를 두고 송시열은 "오래 살고 건강했다壽而康" 라는 말로 조롱했다는 일화가 전해온다.

삼전도비는 한양과 경기도 광주를 뱃길로 이어주는 송파강 삼전나루에서 250여 년의 세월의 풍파를 견디다 1895년, 청일전쟁에서 청나라가 패하자 고종(재위 1864~1907)의 지시로 영은문迎恩門과 함께 비각이 철거되었다.

청나라와의 사대관계를 청산하겠다는 선언적 차원이었다. 이때 비석도 귀부에서 뽑아 엎어버렸다고 하는데 비석이 훼손된 당시의 모습이 오늘날까지 사진으로 남아있다.

그로부터 20년이 지난 1916년, 일본은 삼전도비를 원래의 모습으로 다시 세웠다. 청나라의 속국에서 일본의 속국이 된 것을 상징적으로 보여주려는 의도였다. 해방 후 이승만 정부는 이 비석이 민족의 수치라 하여 아

고종 때 철거되어 훼손된 삼전도비

예 송파강 근처에 묻어버렸다. 산산조각 낼 용기는 없었던 것 같다.

몇 년 후 강변 침식으로 비석은 다시 세상에 그 모습을 드러냈고 정권이 바뀔 때마다 애물단지처럼 주변 여러 곳을 옮겨 다니다가 마침내 2010년이 돼서야 현재의 위치인 석촌호수 근처에 정착하였다.

빗돌은 쉽게 세울 수 있지만 역사를 바로 세우기가 얼마나 어려운 일인지를 네 개의 비석은 지금도 말해주고 있는 듯하다.

윤씨 삼대가 겪은 전쟁

정묘호란이 일어나자 인조는 강화도로 몸을 피하면서 분조分朝를 명했다. 소현세자에게 의병을 지휘할 수 있는 병권을 허락한 것이다. 조일전쟁 때 광해군에게 분조를 맡기고 의주로 피신한 선조의 선례를 따른 것인데 이때까지만 해도 조일전쟁 때만큼은 아니지만 의병이 호응했다.

인조가 의병을 모집하여 근왕勤王하라고 지시한 사람은 김장생金長生이었다. 서인들은 이이李珥의 학통을 정치이념으로 삼았기 때문에 이이의 수제자인 김장생은 당대에 인조와 서인정권의 정신적 지주역할을 하고 있었다. 김장생은 충청도 연산에 의병 본부를 차리고 각 고을에 격문을 띄워 의병을 일으킬 것을 호소했다.

그의 호소에 호응하여 연산의 이복길李復吉, 이산의 윤전尹烇, 회덕의 송국택宋國澤, 보성의 안방준安邦俊 등이 병력을 이끌고 모여 들었다. 대부분 김장생의 문인이거나 서인의 영수이자 이이와 절친한 친구였던 성혼成渾의 제자들이었다. 이들은 전주에 집결하여 소현세자를 호위하며 후금과의 일전을 준비했다.

그러나 전쟁은 오래 가지 않았다. 조선정벌을 자신의 권력을 강화하는 계기로 삼으려 했던 홍타이지는 전쟁이 장기화할 조짐을 보이자 강홍립과 박난영朴蘭英을 인조에게 보내 화친을 제의했다. 두 사람 모두 '사르후 전투'에서 누르하치에게 투항한 지 9년 만의 귀환이었다. 대부분의 조정 신료들은 강홍립의 목을 쳐야 한다고 주장했지만 인조는 그들을 따뜻하게 맞아주었다. 강홍립은 인조에게 "모진 목숨 죽지 못하고 9년 만에 전하를 뵈니 드릴 말씀이 없다."고 머리를 조아렸다. 그러면서 인조에게 후금 측의 내부 사정을 상세하게 보고하고 강화를 맺는 것이 절실하다고 했다.

당시 신료들은 강화를 주장하는 주화파와 이를 반대하는 척화파로 나뉘어 대립하였는데 소현세자의 스승이었던 사간 윤황尹煌은 척화파의 강경론자로서 주화를 주장하는 이귀李貴와 최명길崔鳴吉 등을 당장 유배 보낼 것을 청하고 오랑캐에게 항복한 장수들을 참형에 처할 것을 주장하였다. 『인조실록』 1627년 2월 15일자의 기사에 이러한 주장이 담긴 윤황의 상소가 실려 있다.

> 오늘 화친한 것은 이름은 화친이지만 실지는 항복입니다. 전하께서 간신의 요행을 바라는 계책에 현혹되어 공의公議를 강력히 배격한 채 굴복하는 것을 마음에 달게 여겨, 이에 천승의 존엄함으로써 더러운 오랑캐의 차인差人을 친히 접견하였는가 하면 거만하고 무례한 모욕이 도를 넘었는데도 전하께서는 태연히 부끄럽게 여길 줄을 모르시니, 신은 통곡을 이기지 못하겠습니다.(중략)

윤황이 화친을 항복이라 주장하고 강화에 열을 올리는 임금이 부끄러움을 모른다고 비난하자 인조는 격노했다. 당장 삭탈관직하고 유배하라고 명하였으나 김장생을 비롯한 삼사에서 그를 변호하여 겨우 화를 면하였다고 한다.

윤황은 이산에서 의병을 일으킨 윤전의 친형이었고 성혼의 수제자이자 사위였다. 자신들이 추대한 인조의 체면을 살려주기 위해 온 집안이 나서서 의병에 호응하였는데 후금의 화친 제의에 반색하는 인종이 못 미더웠던 것이다. 더욱이 오랑캐와 화친했다는 구실로 광해군을 폐위했던 서인들이었기에 후금과의 화친은 반정의 명분을 스스로 거스르는 일이기도 했다.

윤황은 조선에서 명문가로 손꼽히는 파평 윤씨 소정공파 후손이었다. 고려 개국공신 윤신달로부터 윤관과 윤언이를 거쳐 조선 개국공신 윤곤尹坤으로 이어진 그의 가계는 8대조인 소정공 윤곤의 인척들과 후손들이 왕실과 혼인을 맺음으로써 고려에 이어 조선에서도 문벌귀족으로 위치를 확고히 하였다. 윤곤의 차남 윤희제尹希齊의 아들 5형제 중 셋째 아들 윤배尹培가 윤황의 6대조이다.

윤황이 관직에 있었던 인조치세에 발생한 두 번의 호란은 조일전쟁과 더불어 조선 역사에 있어 가장 큰 변란이었기에 윤황 집안 또한 이 난리를 비켜가지 못했다. 특히 병자호란은 그의 집안을 송두리째 흔들어 놓았을 뿐만 아니라 훗날 서인이 노론과 소론으로 갈라지는 분당의 단초를 제공하였다.

1636년, 병조호란이 일어나자 병중이던 66세의 윤황은 넷째 아들 윤문거尹文擧의 병수발을 받으며 인조를 호종하여 남한산성으로 들어갔고 다섯째 아들 윤선거尹宣擧는 어머니를 모시고 가족과 함께 정묘호란 때 의병을 일으켰던 윤전을 따라 강화도로 피신한 소현세자를 배종했다. 집안의 비극은 이듬해 강화도가 청나라 팔기군에게 함락되면서 시작되었다.

강화성 남문이 무너지자 화약을 폭발시켜 자결한 김상용金尙容을 시작으로 송시영宋時榮, 이시직李時稷 등이 목을 매어 죽었다. 윤전도 목을 매었으나 살아나자 패도로 자살을 시도했다가 미처 절명하기도 전에 팔기군에게 피살되었다. 이때 함께 자결을 결의했던 윤선거는 윤황의 편지를 받고 어머니와 함께 강화도를 빠져 나와 남한산성으로 향했다. 항복에 앞서 강화조약 반대자를 잡아오라는 홍타이지의 최후통첩에 스스로 볼모로 나선 윤황을 전별하기 위해서였다. 부친과 함께 죽기 위해 갔다는 일설도 있다. 그러나 남한산성의 문은 끝내 열리지 않았고 거기서도 죽지 못한 윤선거는 허망하게 발길을 돌려야 했다.

그 사이 윤선거의 아내 이씨는 청군에게 능욕을 당하고 포로로 끌려가느니 차라리 죽음을 택한 수많은 조선 여인들처럼 어린 딸과 아들 윤증尹拯을 남겨 두고 목을 매어 죽었다.

『보물탐뎡』 저자 장수찬이 윤증의 문집 『명제유고』에서 발췌한 「연보」

의 내용에 따르면 강화도에 덩그러니 남겨진 당시 9살의 윤증은 10살 누이와 헤어질 수밖에 없음을 알고 "누이는 여자이니, 불행하게 서로 헤어지게 되면 이것으로 징표를 삼으시오" 하며 조상의 이름과 관직이 적힌 작은 수첩譜帖을 주고 외우게 했다. 결국 청나라 팔기군의 포로가 되어 의주로 끌려간 윤증의 누이는 사노비로 팔렸고 천신만고 끝에 암행어사로 의주에 파견

된 이시매李時楳를 만나 보첩을 보여주며 조상의 이름을 달달 외움으로써 자신이 윤선거의 딸이라는 것을 증명했다. 윤선거를 잘 알고 있었던 이시매는 그녀가 윤선거의 "여식임을 알아보고 속환하였다"고 『명제유고』는 전한다.

인조는 늙고 병든 윤황을 홍타이지에게 보내지 않았다. 대신 서른 두 살의 윤집尹集과 스물 아홉 살의 오달제吳達濟를 눈물로 포박해 보냈고 이튿날 자신이 직접 삼전나루로 나가 세 번 무릎을 꿇고 아홉 번 머리를 조아리는 항복의 예를 행함으로써 혹독한 병자년 호란을 끝냈다. 이후 전란을 수습하는 과정에서 척화파 강경론자였던 윤황은 삭탈관직 처분을 받고 충청도 영동으로 유배되었다. 병든 아버지를 홀로 보낼 수 없었던 자식들은 모두 윤황을 따라 영동으로 내려가 함께 살았다.

윤전이 자결하고 윤황마저 유배를 떠나자 노성 5방파 집안은 한 순간에 폐가가 되었다. 그들의 자식들 또한 출사를 포기하고 산림에 은거하며 학문에만 정진하기로 했는데 오랑캐와 화친한 불의한 조정에 몸담을 수 없다는 것이 당시 사대부들의 공통된 생각이었다. 특히 윤선거는 아내가 순절했음에도 목숨을 부지한 탓에 절개를 지키지 못했다는 죄책감 때문에 더더욱 출사를 포기했던 것 같다.

윤황이 죽자 윤선거는 충청도 금산에 '산천재'라는 이름의 집을 짓고 예학 연구에 몰두했다. 호란 이후 조선의 사상계를 주도한 학문은 단연 예학이었다. 이 시기에 예학이 크게 발달한 이유는 규모가 커지고 그만큼 복잡해진 조선사회를 성리학적 논리에 따라 편제할 필요성이 대두되었기 때문이기도 했지만 오랑캐에게 무너진 현실과 정신의 질서를 바로잡아야 한다는 사대부들의 각성이 직접적인 동기가 되었을 것이라고 학계에서는 분석하고 있다. 즉 왜란과 호란 이후 무너진 사회질서, 신분계급의 변동 등 조선이 당면한 여러 문제를 해결하는데 있어 주자 성리학이 더욱 강조되었고 그 중에서도 특히 예학이 중시되었다는 것이다.

윤선거는 성혼의 외손자였으므로 당연히 성혼의 학문을 계승했다. 또 집안과 교류가 많았던 김장생과 그의 아들 김집金集의 문인이었기에 이이의 학문도 수혈 받았다. 학통을 중시하는 조선사회에서 서인들의 정통 학통을 제대로 이은 것이다. 그 때문에 당시 주목받기 시작한 비슷한 연배의 젊은 사대부들— 권시權諰, 유계兪棨, 이유태李惟泰, 윤휴, 송시열 등과 활발히 교류하며 학문의 지평을 넓혀 나갔다.

이들과의 관계는 학연으로 시작해 훗날 혈연으로까지 연결되었는데 권시는 아들 윤증의 장인이 되었고 송시열은 친형 윤문거의 아들 윤박尹搏의 장인이 되었으며 윤선거의 누이는 윤휴의 처남인 권준權儁의 부인이 되었다. 윤선거 입장에서 보면 이들과 모두 사돈관계를 맺은 것이다. 이들과 함께한 10여 년 동안 윤선거의 학문활동은 유계와 『가례원류』를 편찬하고 송시열, 이유태, 유계와 고례를 연구했으며 성혼과 정철鄭澈의 「연보」를 편찬하거나 교정한 것 등이었다.

이러한 그의 학문과 덕행이 알려지자 조정에서는 세자 사부, 사헌부 지평, 장령, 시강원 진선, 성균관 사업 등과 같은 관직을 제수하였지만 모두 나아가지 않았다. 출사하지 않고 학문에만 몰두한 것이 역설적으로 폐가가 되다시피한 그의 집안을 다시 일으켜 세워준 것이다.

윤선거뿐만 아니라 윤문거와 윤전의 아들 윤원거尹元擧 또한 여러 청요

윤증 화상

직에 임명되었지만 모두 사양하고 아무도 출사하지 않았다. 출사하지 않는 집안의 전통 중 백미는 단연 윤증이었다. 아버지 윤선거의 뜻에 따라 일찌감치 과거와 벼슬을 포기하였지만 윤증은 이미 20대 후반부터 상당한 명망을 얻고 있었던 모양이다. 효종9년(1658) 학문과 행실이 뛰어난 선비를 천거하라는 왕명으로 세자익위사와 세자시강원에 천거되었다고 하는데 "이때부터 윤증의 명망과 실덕實德이 점차 높아졌다"고 『명제연보』는 기록하고 있다.

그의 일생은 벼슬을 내리는 징소와 이를 사양하고 사직하는 과정이었다고 해도 과언이 아닐 정도로 많은 관직이 제수되었다. 공조좌랑을 시작으로 사헌부 지평, 세자시강원 진선, 사헌부 장령, 집의 호조참의, 대사헌, 찬선, 이조참판, 우참찬, 이조판서, 좌참찬, 좌찬성, 우의정 등이 그에게 내려진 벼슬이었다.

그러나 단 한 번도 관직에 나가지 않았으며 그의 문집인 『명제유고』에는 그가 이런 관직을 사양하면서 올린 수많은 상소가 실려있다고 한다. 우리 역사를 통틀어 전무하고 후무한 일이었다.

윤선거와 윤증이 비록 출사를 거부하고 산림에 묻혀 평생 학자로 살다가 생을 마감하였지만 조선 정치사상사에서 그들이 차지하는 비중은 결코 작지 않다. 송시열과 윤휴의 노선차이로 인한 남인과 서인, 노론과 소론으로 정치세력의 분화가 이루어지는 시기에 그들의 역할이 있었기 때문이다. 의서擬書라 불리는 부치지 않은 두 통의 편지도 그 중 하나인데 이 편지에 대해선 뒤에서 자세히 언급하겠다.

윤선거는 송시열과 윤휴의 학문과 사상을 모두 존중했다. 유학적 관점에서 보면 두 사람의 '다름'은 결코 '틀림'이 아니라 조금의 '차이'였을 뿐이었기 때문이다. 왜란과 호란으로 무너진 사회 기강과 예의를 바로 세우기 위해 조선의 체제이념이었던 주자학을 재확립하자는 것이 송시열의 학문적, 정치적 입장이었다면 시대적 문제를 해결함에 있어 그 실마리를 주자학이 아닌 원시 유학에서 찾아 보자는 것이 윤휴의 생각이었다. 어찌보면 윤휴의 생각이 더 근원적이고 엄격한 것이었는지도 모른다.

윤선거는 이러한 두 사람 간의 차이를 융합하려고 노력했다가 송시열에게 굴욕에 가까운 모욕을 당했다. 그 모욕이 윤선거의 사후까지도 이어지자 이에 반발한 윤증이 스승인 송시열과 절교함으로써 결국 서인이 노론과 소론으로 정치세력의 분화가 이루어졌던 것이다. 송시열과 윤휴의 학문과 사상에서 도드라진 다름과 차이를 이해하는 것이 중요하다. 복제논쟁에서부터 북벌대의에 이르기까지 두 사람의 다름과 차이가 조선 후기의 학문과 사상에 큰 영향을 미쳤기 때문이다.

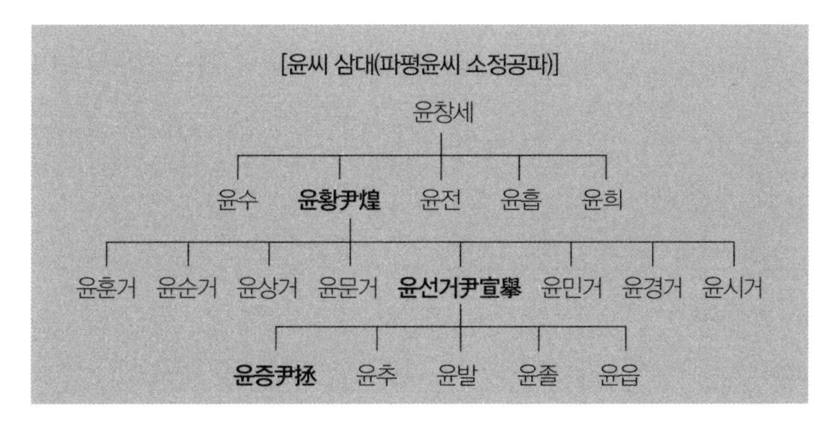

다름과 차이

윤휴가 송시열에게 보낸 편지에 이런 글귀가 있다. "자기와 의견이 다르다고 하여 반드시 그릇된 것도 아니고 의견이 같다고 해서 옳은 것도 아니다 況異己者未必非 而同己者未必是". 효종(재위 1649~1659)의 갑작스런 죽음으로 예상치 못한 복제논쟁이 불거졌을 때였다. 학문적 입장의 차이에 따른 논쟁은 얼마든지 가능한 일이라는 것을 설명하면서 논쟁을 통해 얻어진 결론을 채택할 것인가 말 것인가의 문제는 정치적인 결정이지 학문적으로 결정할 문제가 아니므로 의견이 다르다고 해서 편을 가르면 안된다는 취지의 편지였다.

복제논쟁이란 효종 국상 때 인조의 두 번째 부인인 자의대비(장렬왕후)의 상복 착용기간을 3년으로 할 것인지 아니면 1년으로 할 것인지를 두고 벌인 논쟁을 말한다. '기해예송'이라고도 하는데 조선 후기 당쟁의 출발점이라는데 많은 학자들이 인식을 같이 하고 있다.

일반 사대부 집안에서는 장남이 먼저 죽으면 부모가 3년복을 입고 장남를 제외한 차남부터는 1년복을 입는 것이 당시의 예법이었다. 이에 대해 윤휴는 『의례』에 근거하여 3년복을 입는 것이 왕가의 법도라는 의견을 피력했다. 고례를 공부한 학자로서 주변의 자문에 답하는 수준의 의견이었다. 당시 윤휴로서는 자신의 이러한 의견이 논쟁은 될 수 있겠지만 당쟁이 되리라곤 생각하지 않았던 것 같다. 학자들의 논쟁이야 늘 있어 왔던 것이고 어떤 결론을 채택할 것인가는 조정에 몸을 담고 있는 신료들의 몫이었으므로 당시 출사를 하지 않은 논객들은 자신의 의견을 자유롭게 개진할 수 있었던 것이다.

복제논쟁은 권력을 장악하고 있던 서인에 의해 1년복을 입는 것으로 결정되었다. 효종이 장남이 아니라 차남이라는 이유에서였다. 효종은 봉림대군 시절에 형 소현세자와 함께 청나라에 볼모로 끌려갔다가 8년만에 귀국했는데 소현세자가 갑자기 죽는 바람에 세자로 책봉되었고 인조의 뒤를 이어 왕위에 올랐다. 왕실의 종통을 승계한 것은 맞지만 장남은 아니었던 것이다.

효종의 왕위계승에 대한 학계의 의견은 대부분 일치한다. 봉림대군이 소현세자를 제치고 왕이 된 것은 인조반정의 명분계승이라는 차원에서 이루어졌다는 것이다. 인조반정의 명분은 광해군의 패륜행위와 오랑캐인 후금과의 통교였다. 이것을 바로잡겠다고 정변을 일으켰는데 오히려 외교정책의 실패로 두 차례나 호란을 겪고 결국 청나라에게 굴복함으로써 반정의 명분은 크게 훼손되었다.

인조는 자신의 왕권의 전통성과 깊은 관련이 있는 반정명분을 공고히 하고 계승하기 위해 자구책을 마련하지 않으면 안되었다. 그런 차원에서 소현세자를 왕위 계승에서 배제시켰다. 청나라에 인질로 가서 청나라 조정과 우호적인 관계를 맺고 돌아온 소현세자가 오히려 정치적으로 큰 부

송시열 화상

담이 되었던 것이다. 소현세자의 환국과 청나라에서 촉발된 왕위교체설 즉 인조를 폐위시켜 심양으로 데려오고 소현세자를 즉위시킬거라는 소문은 급기야 소현세자의 의심스런 죽음으로 이어졌고 소현세자의 아들을 국본으로 세울 수 있었음에도 "원손元孫이 성장하기를 기다릴 수 없다"는 이유로 봉림대군을 세자로 책봉하여 왕위를 잇도록 했던 것이다.

효종은 재위 기간동안 인조반정의 명분을 계승하고 자신의 왕권계승의 명분인 숭명의리를 실현하기 위해 북벌을 추진하고자 했다. 북벌은 현실적인 가능성을 떠나 그 시대의 대표적인 담론이자 시대정신이었다. 시골의 이름없는 유생들도 북벌을 입에 담으며 서슴없이 복수설치 復讐雪恥를 외칠 정도였다. 북벌추진은 정통성을 문제삼으며 봉림대군의 왕위계승에 부정적이었던 서인 산림계를 유인했다. 김장생의 문인이었던 권시, 이유태, 송시열, 송준길宋浚吉 등에게 정계진출의 명분을 준 것이다. 출사한 그들은 내수외양內修外養의 북벌대의를 주장했다. 군사적 북벌 준비에 앞서 백성구제를 우선 하자는 것이었다.

소빙하기의 대기근이 전세계를 휩쓸던 시기였고 조선도 예외가 아니여서 민생이 피폐했기에 효종도 동의했다. 그들은 한 발 더 나아가 군주의 덕성함양과 심성수양이 곧 치국평천하의 근본이라고 주장하며 안민이 우선이고 외양은 그 다음 일이라는 것을 분명히 하였다.

그들에게 있어 북벌대의는 직접적인 정벌이 아니라 정사를 바르게 함으로써 오랑캐에 대응하자는 다분히 추상적인 논리였던 것이다. 효종은 대체로 그들의 주장을 수용하며 국정의 안정을 꾀하였지만 자신의 북벌의지를 좀 더 강력하게 추진할 대안 세력이 없음을 늘 아쉬워했다. 그래서 송시열과 송준길에게 북벌추진에 합당한 벼슬을 내리며 북벌계획을 구체화할 것을 요구했다. 송시열에게는 인사권이 있는 이조판서를 제수했고 송준길에게는 군사권이 있는 병조판서를 제수하여 실질적으로 조정을 장악할 수 있도록 힘을 실어줬다. 그러던 차에 효종이 갑자기 사망하였고 더불어 복제논쟁이 불거진 것이다.

윤휴가 3년복을 입어야 한다고 주장한 논리는 단순했다. 한마디로 왕자의 예와 사대부의 예는 다르다는 것이다. 즉 제왕은 아무나 되는 것이 아니라 신명을 받들고 민심에 의거하여 천하의 군주가 된 천자가 제왕이 되는 것이기 때문에 장유적서를 논할 필요가 없으며 장자로서의 권위를 인정해야 한다는 논리였다. 그러므로 왕의 상사는 모두 3년복을 적용해야 한다고 주장했던 것이다. 그러나 이러한 윤휴의 주장은 서인이 1년복을 입는 것으로 결정함에 따라 흐지부지 되었다.

그런데 1년상이 거의 끝나갈 무렵 허목許穆이 상소를 올려 1년복은 잘못된 복제이니 상사가 끝나기 전에 바로 잡아야 한다고 주장함으로써 복제논쟁에 다시 불을 붙였다. 허목은 윤휴처럼 원시 유학과 고례를 공부한 남인 학자로 인조가 자신의 아버지 정원군을 왕으로 추숭하려 했을 때 이를 강력히 반대하다가 인조로부터 정거停擧, 즉 과거시험에 응시하지 못하는 벌을 받은 것으로 유명한 인물이었다. 그럼에도 불구하고 조선왕조 역사상 과거에 급제하지 않고도 정승이 된 몇 안 되는 인물이기도 했다. 허목의 주장은 왕위를 계승했다는 것은 종통을 계승한 것이므로 적자가 된 것인데 차남이라는 이유로 1년복을 적용한 것은 종통보다 장유를 우선한 것이므로 예의에 맞지 않는다는 논리였다. 그의 이러한 주장과 논리를 우의정 원두표元斗杓 등 일부 서인들도 수긍하고 인정했다.

이렇듯 복제논쟁이 재현되고 있던 상황에서 윤선도尹善道가 상소를 올렸다. 허목의 주장을 지지한다는 내용과 함께 1년복을 강력하게 주장한 송시열과 송준길을 신랄하게 비판하는 내용의 상소였다. 윤선도는 그들이 자신들의 잘못을 변명하기 위해 예경의 문자를 여기저기서 주워 모으고 거기에 자신들의 소견을 첨가한 예론의 오류를 지적하면서 신하로서의 역할도 제대로 수행하지 못하고 있다며 예전의 행적까지 싸잡아 비난하였다.

송시열과 송준길은 윤선도와 더불어 봉림대군이 세자였던 시절에 스승이었다. 윤선도가 보기에 누구보다도 효종이 “믿고 소중히 여겨 모든 것을 맡겼던 자로 두 송宋만한 자가 없었다”고 말할 정도로 두 사람을 의지하였는데 복제논쟁을 보면서 ‘정말 의리가 없는 처사’라고 비난했던 것이다. 윤선도의 상소를 계기로 복제논의는 남인과 서인 간의 정치적인 논쟁으로 비화될 조짐을 보이기 시작했다. 인조반정 이후 처음이었다. 사실 인조반정은 남인과 서인이 연합하여 광해군과 북인정권을 몰아낸 정변이었지만 반정 이후 30년 넘게 정국의 주도권은 대부분이 서인이 장악하고 있었다. 남인은 서인과 학통이 다르다는 것 이외에 정국을 주도할만한 정치적 역량을 갖고 있지 못했다. 무엇보다도 국정운영에 필요한 당론이 없었고 서

윤휴 화상. 관복을 입은 모습이 59세에 출사한 윤휴라기보다는 부친인 윤효전의 화상일 가능성이 더 높다는 주장도 있다.

인을 대신할만한 정치세력화를 이루지 못하고 있었다.

그러던 차에 효종의 죽음으로 복제논쟁이 벌어지자 남인은 예론을 발판으로 서인을 견제할 당론을 세우고 대안을 제시함으로써 정국의 주도권을 장악할 기회를 확보하게 되었다. 윤휴의 고례에 근거한 예론을 수용하였기에 가능한 일이었다. 이에 윤휴가 복제논쟁에 적극적으로 가담하지 않았음에도 불구하고 허목과 윤선도의 상소에 이론적 근거를 제공한 인물로 지목되어 송시열 등 서인과 매우 불편한 관계에 놓이게 되었다. 송시열이 윤휴를 일찌감치 사문난적 斯文亂賊, 즉 '유교의 도리를 어지럽힌 적'이라고 비난했던 이유도 윤휴의 학문과 사상이 확산되면 서인의 권력유지와 정권안보에 충분히 위협이 될 수 있다고 판단했기 때문이었다. 그런 송시열의 우려가 복제논쟁을 통해 현실화된 것이다.

단순히 주희의 경전해석을 비판하거나 주희와 다른 새로운 경전해석을 했기 때문이라는 시각은 송시열의 우려를 정치적 관점이 아닌 학문적 논쟁으로 끌고 가고 싶은 서인의 속마음이었을 것이다.

사실 윤휴는 남인과 서인 그 어디에도 속하지 않는 유학자였다. 스승도 없었고 따라서 학통도 없었다. 굳이 분류를 하자면 광해군과 함께 몰락한 북인에 가까웠다. 그의 아버지 윤효전尹孝全은 광해군의 스승이었다. 광해군이 왕위를 계승하는데 걸림돌이었던 임해군을 제거하는 일에 앞장서서 광해군의 왕권을 안정시키는데 기여했고 이후 대사헌 등을 역임했다.

때문에 인조반정 이후 광해군의 폐륜이 거론될 때마다 더불어 비판의 표적이 되었다. 윤휴는 일찍 아버지를 여의었기 때문에 부친으로 인한 연좌적 피해는 없었던 것 같다. 하지만 북인이 몰락한 상황에서 아버지의 정치적 그림자는 늘 부담일 수밖에 없었다. 윤휴가 어머니의 권유로 한차례 과거시험에 응시하였을 뿐 출사에 크게 뜻을 두지 않았던 이유도 이러한 부담에서 자유롭지 않았기 때문이다. 더욱이 병자호란 이후에는 오랑캐에게 무릎을 꿇은 불의한 조정에 출사하지 않고 산림에 은거하며 학문에 정진하는 것이 사대부의 도리라는 인식이 널리 퍼졌던 시기였으므로 윤휴 또한 산림의 학자가 되어 자신만의 학문세계에 천착하지 않았나 생각된다.

그런 윤휴를 두고 김극형金克亨은 "율곡이 다시 나왔다"고 칭찬했고 송시열은 "30년간의 나의 독서가 참으로 가소롭다"고 할 정도로 그의 학문세계를 높이 평가했다. 또 공자의 제자 중 한 명인 안자顏子에 비유되곤 했던 권시는 "그대는 나의 스승이지 벗이 아니다"라며 교우를 맺었다는 기록이 있는데 권시는 나중에 윤휴와 사돈을 맺기도 했다. 이들은 모두 윤휴보다 10살 이상 많은 학문의 대선배들이었다.

흥미로운 것은 혼사로 맺어진 권시의 가족관계이다. 권시는 2남 3녀의 자녀를 두었다. 차남인 권유權惟는 송시열의 장녀와 결혼했고 3녀 중 장녀는 윤선거의 장남인 윤증과, 차녀는 윤휴의 장남인 윤의제尹義濟와 혼인했다. 사위와 며느리가 당대 최고 학자들의 자손들이었던 것이다. 복제논쟁이 불거졌을 때 장인 권시와 사위 윤증 간에 첨예하게 의견대립이 있었다고 하는데 권시는 윤선도와 윤휴를 지지했고 윤증은 스승인 송시열을 지지함으로써 가족간에도 당쟁의 구도를 피하지 못했다.

송시열이 윤휴의 학문을 사문난적이라고 비난하며 주자학에서의 파문破門을 선언했을 때 이에 동조하는 서인 사대부들은 많지 않았다. 그렇게 주장하는 송시열의 속마음을 알 수도 없었거니와 설사 알았다 하더라도 당색이 거의 없었던 윤휴가 당시 서인정권에는 그다지 위협적인 인물이 아니었기 때문이다. 오히려 그의 학문이 고명하다는 소문 때문에 그와 교류하기를 원했던 서인 사대부들이 더 많았다. 윤선거도 그 중 한 명이었으며 송시열이 윤휴를 비난했을 때 그를 적극 두둔하고 변호한 대표적인 인물이었다. "그대가 너무 지나치게 희중希仲(윤휴)을 겁내는 것이다." 송시열의 문집 『송자대전』「연보」에 실려있는 윤선거의 이 충고가 당시 서인 사대부들의 공통적인 생각이었다.

나아가 서인들은 윤휴를 자신들의 당으로 끌어 들이기 위해 그를 관직에 천거하기도 했다. 윤휴의 나이 36세(1652) 때는 민정중閔鼎重이 그를 천거했고 3년 뒤인 1655년에는 우의정 심지원沈之源이 나서서 그를 천거했다. 심지어 그를 사문난적이라고 비난했던 송시열조차도 그를 천거했다는 기록이 있다. 인사권을 가진 이조판서로서 여론에 떠밀려 어쩔 수 없이 천거한 것이라고는 하지만 그 여론을 만든 사람들 또한 서인들이었다.

그러나 허목과 윤선도의 상소가 정치적인 논쟁으로 비화되자 서인들은 그들에게 이론적 근거를 제공한 윤휴를 배척하기 시작했다. 당론 때문이었다. 명나라 황제에게 책봉을 받는 조선의 왕은 자신들과 마찬가지로 명

황제의 신하이므로 일반 사대부 집안의 예법에 따라야 한다는 것이 '복제 논쟁'이 한창이었을 때 서인이 채택한 당론이었다.

그 근거로 인조반정의 명분을 들었다. 광해군을 폐위할 수 있었던 것은 그가 명나라의 은혜를 배신하고 오랑캐인 후금과의 내통한 죄를 지었기에 같은 명나라 황제의 신하로서 이를 바로 잡기 위해 정변을 일으켰다는 것이 서인들의 명분이자 논리였다.

예법상 윤휴의 3년복을 지지하면서도 이 당론을 거역할 수 없었던 서인들이 꽤 있었다. 척화파 집안의 윤선거가 그랬고 그의 아들 윤증이 장인인 권시와 의견대립을 보인 것도 마찬가지 이유였다. 윤휴를 천거했던 민정중을 비롯하여 그와 절친했던 박세채朴世采, 유계 등도 어쩔 수 없이 등을 돌려야 했다. 윤휴로서는 다른 사람도 아닌 윤선거와의 관계가 소원해지자 크게 상심했다고 그의 문집 『백호연보』는 전한다.

윤휴가 53세가 되던 1669년, 윤선거가 60세의 나이로 죽었다. 윤휴는 차남 윤하제尹夏濟 편에 제문을 보냈다. 윤증은 제문을 사절하려다가 조문까지 거절하는 것은 도리가 아닌 것 같아 받아들였다. 윤휴의 제문에는 지난 10년동안 윤선거와 소원하게 지냈던 회한으로 가득차 있었다. "길보吉甫(윤선거)가 세상에서 자신보다 더 친애하는 사람이 있고 자신 또한 길보보다 더 친애하는 사람이 있겠는가."라며 윤선거와의 각별했던 우정을 회상했다. 윤증은 이 제문을 받아들였다. 윤증이 윤휴의 제문을 받아들였다는 소식을 들은 송시열은 분노했다.

윤선거는 죽기 전 송시열에게 편지 한통을 남겼다. 기유년에 쓴 부치지 못한 편지라는 의미에서 이 편지를 '기유의서'라 부른다. 두 사람 집안은 통혼으로 오랫동안 친인척 관계를 맺어왔고 두 사람 또한 김장생의 문하생으로 동문수학한데다 연배도 비슷하여 서로 격의가 없는 사이였지만 학문과 현실정치의 괴리에 대한 인식은 많이 달랐다. 그럼에도 불구하고 윤선거는 자신의 아들 윤증을 송시열의 제자로 보낼만큼 그를 존중했다.

> 임금에게 사의私意가 없기를 바란다면 자기 사의부터 없애야 하고, 임금이 언로言路를 열어 놓기를 바란다면 자기 언로부터 열어야 할 것이다. 좋으면 무릎에 올려 놓고 미우면 연못에 밀어 넣는(가슬추연加膝墜淵) 편협한 생각은 버리고 무릇 소통하시라.

윤선거가 송시열에게 남긴 유언과 같은 이 편지에는 이렇듯 자기와 의견이 다른 사람들과도 소통하라는 당부가 담겨 있었다. 4년 뒤 윤증은 아버지의 묘갈문을 송시열에게 부탁하면서 주변사람들의 만류에도 불구하고 이 편지를 박세채가 지은 행장에 동봉하여 보냈다. 부친이 남긴 의서인 만큼 당사자에게 전달하는 것이 도리라 생각했던 것 같다.

그러나 편지를 받은 송시열은 몹시 불쾌해 했다. 끝까지 윤휴를 두둔하고 있는 윤선거도 윤선거지만 4년 전에 쓴 편지를 지금에서야 보내온 윤증의 저의가 의심스러웠다. 윤휴의 제문을 받아들인 윤증의 행태가 못 미더웠던 기억도 마음 한편에 있었다.

송시열은 박세채의 행장을 그대로 베껴 묘갈문墓碣文을 짓고 "나는 다만 기술했을 뿐 스스로 짓지 않았다(아술부작我述不作)"라고 부기함으로써 박세채가 선양한 망자에 대한 기본 예의도 무시해 버렸다. 스승의 무성의와 조롱에 크게 실망한 윤증은 4~5년에 걸쳐 줄기차게 묘갈의 개찬을 요구하였으나 송시열은 약간의 자구만 수정하였을 뿐 끝내 개찬해 주지 않았다. 당연히 송시열이 지은 묘갈문은 윤선거의 무덤 앞에 세워지지 않았다.

윤휴, 북벌을 말하다

1차 복제논쟁인 '기해예송'이 효종의 죽음으로 촉발되었다면 2차 복제논쟁인 '갑인예송'은 효종비 인선왕후의 죽음에서 비롯되었다. 우연이겠지만 현종(재위 1659~1674)의 치세는 '기해예송'으로 시작해서 '갑인예송'으로 끝난다. 아버지 효종의 죽음으로 물려 받은 왕위를 어머니 인선왕후의 죽음과 함께 내려놓고 자신의 삶도 마감했기 때문이다. 예송은 여전히 상복 착용기간이 문제였고 그 대상 또한 15년전과 마찬가지로 인조의 계비 자의대비였다.

'기해예송'이 발생했을 때 현종의 나이는 19살이었다. 효종의 갑작스런 죽음으로 황망하게 왕위를 물려 받은 현종은 서인들의 주장에 따라 1년복으로 상례를 치렀다. 예학을 통치이념으로 삼고 있는 서인들의 주장이었기에 의심없이 그들의 당론을 따랐던 것이다. 그런데 복제논쟁이 정치적인 논쟁으로 확대되자 서인들의 당론이 왕실의 권위에 합당한 상례가 아니라는 것을 어렴풋이 눈치챘다. 하지만 왕권을 둘러싼 정쟁은 이제 막 왕위에 오른 자신에게도 커다란 정치적 부담이었기에 복제논쟁 자체를 금지시켰다.

'기해예송' 때 서인들은 효종이 비록 왕위를 물려 받아 승통은 했지만 장남이 아니라는 이유로 중국 고례에 따라 1년복을 당론으로 채택한 바 있다. 그러나 종통부정 시비를 염두에 두지 않을 수 없어서 중국 고례가 아닌 조선 법전인 『경국대전』의 상례를 따랐다고 주장해 왔다.

『경국대전』에서는 장남, 차남 구별없이 모두 1년복을 입는 것으로 규정되어 있었기 때문에 '기해예송'이 종통부정 시비로 이어지지는 않았다. 문제는 며느리들의 복제였다. 『경국대전』에서는 맏며느리와 기타 며느리들의 복제를 다르게 규정하고 있었다. 맏며느리는 1년복을, 기타 며느리들은 9개월복을 입도록 구분했던 것이다.

2차 복제논쟁인 '갑인예송'은 서인들이 1년복으로 의정한 복제를 9개월복으로 바꾸면서 시작되었다. 논리는 예법상 왕과 왕비의 복제가 같아서는 안된다는 것이었다. 남녀가 유별했던 조선에서 왕의 복제를 1년복으로 했으므로 왕비의 복제는 9개월복으로 해야한다는 것이 서인들의 주장이었다. 그러자 효종비 인선왕후는 맏며느리가 아니라 기타 며느리가 되었고 덩달아 효종 또한 장남이 아니라 차남이라서 1년복 상례를 따른 모양새가 되었다. 충분히 종통부정 시비가 일어날 수 있는 논리였다.

현종은 이러한 논리의 모순을 집요하게 파고들었고 서인들의 당론에 정통부정 시비가 있음을 알았다. 복제논쟁이 왕위계승의 정통성 문제로 비화된 이상 서인들의 왕실에 대한 태도를 더 이상 묵과할 수가 없었다. 상례를 주관한 예조판서 조형趙珩을 비롯한 예조 관리들을 투옥하고 9개월복을 주장했던 영의정 김수흥金壽興을 파직하여 춘천으로 유배 보냈다. 대신 허적許積을 영의정에 임명했다. 여기에 조직적으로 반발하는 서인 관료들을 모두 삭탈관직하고 도성에서 추방했으며 그 자리를 남인 관료들로 채웠다.

이로써 인조반정 이후 50년 동안 집권했던 서인정권이 무너지고 마침내 남인이 처음으로 정국의 주도권을 갖게 되었다. 이런 방식으로 단행되는 정권교체를 '환국換局'이라 하는데 조선 후기에 발생한 여섯번의 환국 중 첫번째 환국으로 갑인년에 발생했다 하여 이를 '갑인환국'이라 부른다.

그런데 환국을 단행한 지 채 한 달도 되지 않아 현종이 갑자기 사망한다. 소현세자와 효종에 이은 의문의 죽음이었다. 그의 나이 서른 넷, 소현세자와 같은 나이였다. 효종도 마흔 한살에 사망했다. 모두들 비명횡사하기에 너무 젊었고 한창 친정을 펼칠 나이였다. 반정과 연이은 호란을 겪은 조선은 군약신강의 나라였다. 신하가 왕을 폐위시킬 수 있는 명분이라면 의문스럽게 죽일 수도 있는 그런 나라였던 것이다.

현종의 후사를 숙종 이돈이 이었다. 하지만 14살 어린 왕을 대신하여 모후인 명성왕후가 수렴청정을 할 가능성이 더 커 보였다. 김우명金佑明의 딸인 그녀가 섭정을 하게 되면 정국의 주도권은 다시 서인에게 넘어갈 수도 있었기에 남인들은 선왕의 유지를 받들 것을 강력히 주장했다.

숙종도 명성왕후의 수렴청정보다는 선왕이 임명한 영의정 허적을 원상으로 삼아 국상을 치르고 이후엔 직접 친정을 하길 원했다. 나이는 어렸지만 영민하였고 정치적인 감각도 있었다. 원상은 어린 임금을 보좌하며 정무를 보는 임시 벼슬이다. 중망있는 원로 재상들이 주로 맡았다고 하는데 섭정과 크게 다르지 않았다.

숙종은 송시열에게도 원상으로 삼겠다는 뜻을 전달하며 회유했으나 환국의 부당함을 지적하며 거절하자 도리어 그를 유배보내고 대신 윤휴에게 출사를 권했다. 현종의 유지대로 왕권을 바로 세우기 위해 남인에게 정권을 맡기기로 한 것이다.

남인이 집권하자 윤휴는 평생 포부였던 북벌대의를 실현할 수 있는 기회가 왔다고 판단하고 출사를 결심한다. 그의 나이 59세(1674) 때였다. 때마침 청나라에서도 '삼번의 난(1673~1681)'이 일어나 나라가 온통 내전에 휩싸여 있었다. 이 소식은 조선의 지방 유생들에게도 전해져 이 기회에 북벌을 단행해야 한다는 상소가 빗발쳤다. 윤휴도 현종에게 밀소密疏를 올려 이 시기를 놓치면 뒤쫓아 갈 수 없고 기회를 놓쳐서는 안되므로 반드시 결단을 내려 북을 정벌해야 한다고 주장했었다.

출사 후 북벌에 대한 윤휴의 생각과 의지를 엿볼 수 있는 기사가 『숙종실록』 1675년(숙종 1) 2월 9일자에 실려있다. 숙종을 조선의 왕으로 봉한다는 청나라 4대 황제 강희제(재위 1661~1722)의 칙서를 거부하자는 우부승지 윤휴의 주장에 대해 "이제 나가 맞이하지 않으면 저들이 의심을 낼 것"이라며 영의정 허적이 극구 반대하자 윤휴가 말했다.

> 의심을 내서 군사를 동원한다면 바로 기회를 타기 좋을 것입니다. 우리나라에는 스스로 10만의 정병精兵이 있고 양서兩西의 식량도 쉽게 장만할 수 있으므로 열흘이 못되어 심양을 차지할 수 있고, 심양을 빼앗고 나면 관내關內가 진동할 것이니, 일이 이루어지지 않을 염려가 없습니다.

잘 훈련된 10만의 병사가 있고 황해도와 평안도에서 식량도 쉽게 조달

할 수 있으며 열흘 안에 심양을 점령하면 중국 본토에서도 호응할 것이므로 북벌은 실패할 염려가 없다는 것이 윤휴의 생각이었고 기회가 왔을 때 과감하게 군사행동을 전개하여 청나라와의 굴욕적인 관계를 청산하자는 것이 그의 주장이었다.

당시 심양을 비롯한 만주의 주요 도시들은 대부분 텅 비어 있었다. 1644년 팔기군이 입관하면서 만주족들이 대거 북경으로 이주했기 때문이다. 대신 만주엔 유조변이라 불리는 버드나무 울타리가 세워졌다. 청나라 3대 황제 순치제(재위 1643~1661)가 설치한 이 울타리는 만주족의 발상지이자 말갈족, 여진족의 고향이기도 한 동북만주를 보호하기 위함이었다.

유조변은 내유조변과 외유조변으로 구분하여 관리하였는데 산해관에서 압록강에 이르는 내유조변은 요하부근과 요동지방까지 진출한 한족이 동북만주지방으로 유입되는 것을 막기 위한 것이었고 심양 북쪽의 요하와 길림 북쪽의 송화강과 연결된 외유조변은 몽골, 선비족들이 만주 지역으로 넘어 들어오지 못하도록 설치한 것이었다. 일정한 간격으로 초소만 설치되어 있을 뿐 군대가 주둔하고 있는 것이 아니어서 윤휴의 주장대로 열흘 안에 충분히 점령할 수 있었다.

"소국小國이 대국大國을 섬기고 약국弱國이 강국强國을 받드는 데에도 반드시 예禮가 있는 법으로 자강自强의 정책을 세우고 할 것은 해도 하지 않아야 할 것은 하지 않아야 한다는 것"이 윤휴가 주장하는 청나라와의 관계였다.

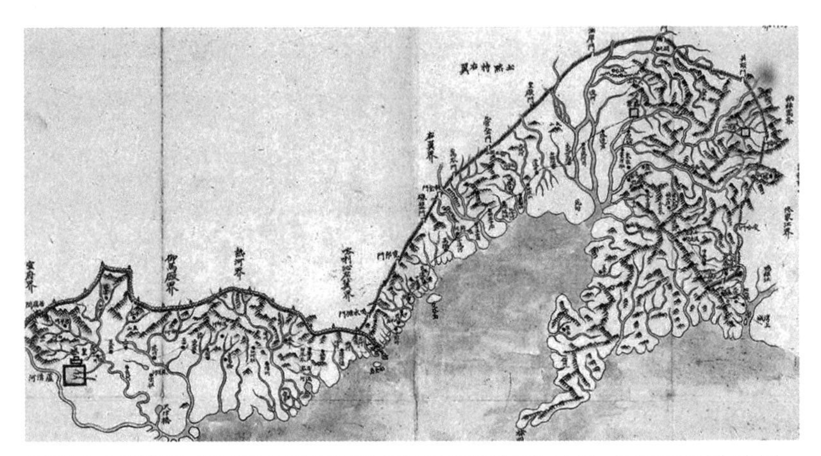

입연정도도入燕程途圖. 서울대학교 규장각. 18세기 말에 제작된 연경(북경)으로 가는 사행길 지도이다. 청나라 유조변이 잘 나타나 있다. 청나라가 봉금정책을 실행한 이유는 내유조변(사행길)를 보호하려는 것이 아니라 동북 만주인 외유조변(사행실 바깥부분)을 보호하기 위함이었다. 명나라의 국경이었던 요동변장과 비슷한 지역에 설치되었지만 국경이 아니라 거주금지 경계일 뿐이었다.

이에 대해 숙종이 "자강하는 방책은 먼저 강구해야 하겠으나 이제 나가 맞이하지 않으면 저들이 반드시 의심을 낼 것인데 뒷날의 근심을 어떻게 수습하겠는가?"라고 묻자 윤휴는 다음과 같이 대답했다.

지금 밖으로는 세 가지 일이 있는데, 북벌北伐이 첫째이고, 바다를 건너 정鄭과 통하는 것이 둘째이고, 북北과 화호和好를 끊는 것이 세째이며, 안으로는 숙위宿衛를 엄하게 하는 한 가지 일이 있습니다. 무릇 이 몇 가지를 서둘러 꾀하지 않으면, 화환禍患이 반드시 올 것입니다.

저들이 우리를 의심하면 이참에 군사를 일으켜 북벌을 도모하자는 것이 윤휴의 일관된 주장이었다. 이를 위해 정鄭나라와 같은 주변국가들과 통교하여 연합전선을 구축하자는 것이 그가 세운 대외전략이었다. 정나라는 명나라 부흥운동의 중심인물인 정성공鄭成功이 대만에 세운 나라이다. 숙종 연간에는 정성공의 아들 정경鄭經이 정나라를 통치하고 있었다.

최근에 정성공을 호출하는 흥미로운 책이 출간되었다. 예술과 역사가 어우러진 인문서라는 평가를 받고 있는 이 책의 제목은 『1790년 베이징』이다. 「박제가의 그림에 숨겨진 비밀」이라는 부제가 붙어 있어 조선시대 그림과 관련된 책이라는 것을 알 수 있다.

그림 속의 주인공은 어린 정성공이다. 조선 후기 『북학의』를 지은 실학자로 잘 알려진 박제가朴齊家가 그림을 그렸다고 화제에 씌여 있다. 1790년이면 강건성세의 청나라가 천하를 호령하던 시기였는데 무슨 이유로 청나라에 저항한 명나라 장수의 어린시절을 그리는 위험을 무릅썼는지 저자인 신상웅은 몹시 궁금해 했다.

더군다나 『북학의』를 통해 청나라를 업신여기던 조선에 개혁적으로 청나라의 선진문물과 풍속을 소개한 박제가이었기에 그 연유가 더욱 궁금했던 것 같다. 이러한 저자의 지적 호기심과 역사적 상상력을 총동원한 노력 덕분에 독자들은 일본과 중국의 여러 도시들을 여행하며 그림에 얽혀 있는 역사적 사실들을 하나씩 알아가는 재미를 누릴 수 있었다.

그런데 더 흥미로운 것은 윤휴가 정나라와의 통교를 위해 일본과 긴밀히 협조해야 한다고 주장했다는 사실이다. 정성공이 일본에서

태어났고 그의 어머니가 일본인이었기 때문에 연고가 있는 일본의 협조 필요성을 언급하는 차원이었겠지만 조일전쟁이 끝난지 80년 가까운 세월이 흘렀음에도 일본에 대한 조선 사대부들의 반일감정은 여전했고 왜놈들이라 부르며 이적시하고 비하하는 것 또한 여전했기 때문에 통념적으로 일본과의 협력을 입에 담기가 쉽지 않았을텐데 말이다.

이 무렵 청나라에 사신으로 가겠다고 상소를 올린 사람이 여럿 나타났다. 개중엔 황공黃功이라는 중국 사람도 있었다. 그는 봉림대군(효종)이 소현세자와 함께 귀국할 때 심양에서 데려온 인물로 알려져 있는데 『숙종실록』에는 "윤휴가 황공이 중국인이기 때문에 임금이 신용할 것으로 여겨서 상소를 올리게 권했다"고 기록되어 있다. 이렇듯 윤휴는 북벌을 위해서라면 그 어떤 세력과도 연대하고 협력해야 한다는 소신을 가지고 있었다. 이러한 윤휴의 태도는 그 시대의 일반적인 화이론과는 사뭇 다른 것이었다.

화이론은 중국을 받들고 오랑캐를 물리친다는 뜻의 존화양이尊華攘夷에서 나왔다. 중화와 오랑캐를 구분하는 인식은 지리적, 종족적, 문화적 개념이 있는데 지리적 개념은 중국의 고대문명이 가장 먼저 흥성했던 화북지역을 세계의 중심으로 인식하는 것이고 종족적 개념은 동이, 서융, 남만, 북적으로 지칭되는 변방민족과 구별되는 집단으로서 한족의 우월성을 인식하는 것이며 문화적 개념은 중국 고대 주나라로부터 비롯된 유교문화를 가지고 있는 중국이 세계문명의 중심이라고 인식하는 것이다. 중화사상은 이 세가지 개념을 총칭한 것이고 소중화사상은 이 중에서 문화적 개념만을 강조한 것이라는 분석이다.

이러한 개념을 가지고 유학을 공부한 대부분의 조선 사대부들은 당연히 청나라를 오랑캐로 여겼고 일본과 동아시아 주변 국가들 또한 모두 오랑캐로 인식하는 경향이 강했다. 오로지 중국만을 자신들이 받들고 섬겨야 할 나라로 추앙하였기에 중국이 아닌 주변국가들과의 연대와 협력을 강조한 윤휴의 화이론은 조선사회의 통념적인 화이론과는 다를 수밖에 없었다.

화이론뿐만 아니라 북벌대의론에서도 마찬가지였다. 송시열 등 북벌을 주장했던 서인들이 존명주의 내지는 존주주의가 바탕이 된 명분론적 사대주의의 연장선에서 명나라와의 의리를 강조하며 북벌을 주장하였다면 윤휴는 조선이라는 국가의 역사적 정당성을 확보하는 차원에서 북벌을 추진해야 한다고 주장했다.

윤휴의 주장이 그가 살았던 시대를 뛰어 넘을만큼 진보적이거나 선진적인 것은 아니었지만 반정과 연이은 호란으로 기존의 사회질서가 무너지고 새로운 변화가 요구되는 시점에서 시대착오적인 예학과 소중화사상이 시대의 담론이 된 상황과 비교하면 그나마 진취적이고 선구적이지 않았나 생각된다.

북벌과 북학

'갑인환국'으로 집권세력이 되어 정국의 주도권을 장악한 남인이었지만 당론을 모아 정국을 풀어가는 정치역량은 여전히 부족했다. 앞에서 살펴본 『숙종실록』 1675년 2월 9일자 기사만 보더라도 북벌에 대한 윤휴의 주장에 번번이 반대하는 영의정 허적의 모습이 그려져 있다.

같은 남인끼리의 정국현안 논의가 아닌 정적 간의 한치의 양보도 없는 논쟁 같다는 생각이 들 정도로 반박에 반박을 거듭하고 있다. 허적은 윤휴의 여러 주장에 대해 '이 역시 오활한 말'이라며 면박하였는데 '오활하다'는 말은 '사리에 어둡고 세상 물정을 잘 모른다'는 뜻이다. 기사를 작성한 사관도 "이날 윤휴와 허적이 변론할 때 언사가 모두 격하였다."고 기록하고 있다. 『숙종실록』 1675년(숙종 1) 4월 14일자 기사를 보면 남인의 당파가 차츰 청남과 탁남으로 나누어졌다는 내용이 나온다.

권대운權大運이 앞장서 말하기를, "윤휴는 화란禍亂을 일으키기 좋아하는 사람이다." 하였고, 윤휴 등도 말하기를, "선조先朝때에 청현직淸顯職을 지낸 자들은 비록 색목色目이 같더라도 모두 경계하여 막아야 한다."고 하였다. 허적 · 권대운 · 김휘金徽 · 심재沈梓 등의 한 무리는 윤휴 등의 세력이 너무 성해지면 불화할 것을 두려워하여 드디어 차츰차츰 당파를 나누어 각기 문호門戶를 세웠다. 이에 청남과 탁남의 표방標榜이 있게 되었다.

남인을 청남과 탁남으로 당파를 구분한 기준은 서인정권에서 고위관직을 역임했는지 여부였다. 높은 벼슬을 했던 이들은 오염된 인물이라는 뜻에서 탁남이라 했으며 현종 때 우의정과 좌의정을 역임한 허적과 도승지, 예조판서, 호조판서 등을 역임한 권대운 등이 여기에 속했다. 반면 효종의 상례 때 3년복을 끝까지 주장하며 서인정권에 몸담기를 거부하였거나 하급 관료로서 상대적으로 덜 오염된 인물들을 일컬어 청남이라 했는데 허목과 윤휴, 이하진李夏鎭 등이 여기에 속했다.

학계에서는 서인정권에서 높은 관직에 있었던 허적 등 탁남 인사들이 서인의 처벌을 두고 온건한 입장을 보였기에 이들을 남인 온건파로 부르고 상대적으로 강경한 입장이었던 윤휴 등을 남인 강경파로 부르고 있다. 이렇게 분류된 당파는 북벌에도 그대로 적용되어 적극적으로 북벌을 추진했던 당파를 남인 강경파로 부르고 미온적인 태도로 일관했던 당파를 남인 온건파로 부르고 있다. 남인 온건파는 당색만 남인이었지 신권강화를 권력 지향점으로 삼았다는 점에서 서인과 크게 다르지 않았다.

예송논쟁이 벌어졌을 때 서인들은 왕실도 보편적 예법의 원칙을 따라야 한다는 '천하동례天下同禮'의 원리를 주장하였고 남인들은 왕실은 사대부나 일반 백성들과는 다른 예법의 원칙을 따라야 한다는 '왕자예부동사서王者禮不同士庶' 원리를 주장한바 있다.

그것은 신권강화로 집권 지배층 중심의 질서를 다지려는 서인들과 왕권을 강화하며 새로운 권력 기반을 다져나가려는 남인들 간의 정치적 충돌이기도 했다. 그런데 남인 온건파가 이 충돌 속에서도 권력의 중심부에 있었다는 것은 결국 서인들과 권력 지향점이 같았다는 것을 의미한다고 볼 수 있을 것이다. 이러한 상황속에서 북벌을 매개로 조정에 출사한 윤휴는 자신의 평생 포부가 남인의 집권명분과 왕권강화에만 방점을 찍혀 있음을 알고 크게 실망한다.

북벌은 대동법과 균역법과 같은 제도 개혁이 선행되지 않으면 재정확보가 어려워 실효성이 떨어질 수밖에 없었던 만큼 양반과 지주의 양보가 절대적으로 필요했지만 이미 조정에 오래 몸담고 있었던 남인들은 서인들과 마찬가지로 명분으로만 동의했을 뿐 자신들의 기득권을 포기하면서까지 북벌을 실행할 의사가 전혀 없었다. 그래서 윤휴의 주장은 '세상 물정을 모르는 언사'로 치부되었고 '분란의 씨앗'으로 매도되었으며 심지어 '화를 도발하는 말'이라고 일축되었던 것이다.

그럴 때마다 윤휴는 미련없이 사직을 청하면서도 다시 자리가 보전되면 평소 구상하고 있었던 북벌정책과 개혁안을 줄기차게 입안했다. '총부랑의 설치', '만과실시', '수레제작', '지패제와 오가작통법 실시' 등이 그가 추진한 북벌정책과 개혁안의 핵심 내용들이었다.

특히 그는 1675년(숙종 1) 9월 6일 북벌수행의 중추기관으로서 도체찰사부 설치를 주장했는데 이는 군사체제를 평시체제에서 전시체제로 전환하는 것을 의미했다. 그런데 윤휴가 그토록 주장한 이 도체찰사부 설치가 오히려 그를 죽음으로 내몰고 나아가 남인에서 서인으로 정권이 다시 바뀌는 1680년, '경신환국'의 빌미를 제공했다는 것이 조선시대 왕권과 병권을 연구한 학자들의 공통된 의견이다.

조선은 군사체제를 평시체제와 전시체제로 분리하여 운영하였다. 평시에는 군대 지휘관이 자신의 군대를 통솔하지만 전시가 되면 군대 지휘관은 자신의 군대를 통솔하지 못하고 왕이 별도로 임명한 지휘관만이 그 군대를 통솔하도록 한 것이 조선 군사체제의 주요 골자이다. 전시에 출동한 군대를 거느리고 회군하여 고려를 전복시킨 이성계의 '위화도 회군'을 반면교사로 삼은 조치였기에 조선은 이 체제를 오랫동안 엄격하게 지켜왔다.

전시에 왕이 별도로 임명한 지휘관을 '도체찰사'라 한다. 주로 정1품 의정부 중에서 임명되었다. 조일전쟁이 일어난 선조 때는 유성룡柳成龍이 그 역할을 맡았고 광해군 때는 이항복과 박승종朴承宗이, 인조 때는 이괄의 난을 진압하는데 공을 세운 장만張晩과 인조반정에 참여한 김류金瑬가 맡았으나 두 번의 호란을 막지 못했다는 이유로 모두 파면되었다. 이후로 도체찰사부는 설치되지 않았는데 윤휴가 이 기관을 설치하여 전시체제로 전환하자고 주장한 것이다.

윤휴의 주장은 3개월 후인 1675년(숙종 1) 12월 5일에 마침내 실현되었다. 도체찰사부 설치와 더불어 영의정 허적이 5도 '도체찰사'에 임명된 것이다. 청나라의 의심을 피하기 위해 평안도, 황해도, 함경도를 제외한 5도에 한정된 것이었지만 병자년 호란 이후 40년 만에 전시 군사체제가 수립되었다.

도체찰사부 설치와 해체를 주도한 인물은 '삼번의 난'의 주역인 오삼계였다. 그의 부대가 흥기하여 청나라 군대를 압도했던 지난 3개월의 결과가 숙종으로 하여금 도체찰사부 설치를 결심하게 했던 것이다. 도체찰사부 설치 이후 만과에서 선발한 18,000명의 무과 급제자들을 여기에 소속시켜 군인으로 편제하고 황해도 개풍군 천마산에 대흥산성을 증축하여 이들의 근거지로 삼았다.

또한 이천과 평강의 둔전을 이 부대로 이속시켜 군량미 문제를 해결하고 상평청으로 보내야 할 모곡을 5년 기한으로 도체찰사부에 보내게 하여 군사활동에 필요한 재정을 뒷받침함으로써 점차 북벌을 위한 군영의 모습을 갖추어 갔다. 숙종도 여기에 수시로 활과 화살, 갑옷과 조총 등을 내려 보내 이들을 독려했다는 기록이 『숙종실록』 1676년(숙종 2) 10월 2일자와 『승정원일기』 숙종 2년 11월 28일자에 실려 있다.

우연이겠지만 570여 년 전에 윤관으로 하여금 별무반을 조직하여 북벌에 나서게 했던 고려 왕의 묘호도 숙종이었다. 북벌을 왕권강화의 계기로 삼으려했다는 점과 여진족을 상대로 북벌을 추진했다는 점도 같았다. 그러나 북벌을 통해 부국강병을 추구한 고려의 숙종 왕옹과는 달리 조선의 숙종 이돈은 '복수설치'라는 시류에 편승했을 뿐 정국을 주도하면서 북벌을 추진하기엔 너무 어렸고 정치적 기반도 약했다.

한편 북벌론자 윤관과 윤휴의 운명은 많이 달랐다. 윤관은 여진정벌 이후 구축한 9성을 수성하지 못했다는 이유로 탄핵을 받아 파면되었지만 곧 복직되었고 문하시중으로 중용되는 등 여전히 숙종의 뒤를 이어 왕위에 오른 예종의 신임을 받으며 천수를 누린 반면, 윤휴는 이미 한 해 전에 삼번의 난의 주역인 오삼계가 죽음으로써 북벌에 대한 관심과 열기가 시들해진 숙종에게 청나라의 압력으로 이미 해체한 도체찰사부를 다시 세워

북벌을 추진해야 한다고 거듭 주장하고 부체찰사로 외척인 병조판서 김석주金錫胄가 임명되자 병권을 외척의 손에 맡겨서는 안된다고 이를 비판하다 오히려 남인들이 병권을 장악하여 허적의 아들 허견의 역모를 뒷받침하려 했다는 김석주의 허무맹랑한 음모와 이 음모의 진위를 잘 알면서도 정권교체의 필요성 때문에 이에 동조한 숙종에 의해 허적과 함께 죽음을 당했다.

'경신환국'이라 불리는 이 정변을 두고 학계에서는 남인과 서인 외척이 병권을 장악하기 위해 벌인 권력투쟁이라는 시각도 일부 있지만 대체로 북벌정국에서 탈출하려는 숙종의 출구전략으로 보는 시각이 더 우세한 듯하다. 『숙종실록』 1680년(숙종 6) 5월 7일자 기사를 보면 영의정 김수항金壽恒과 병조판서 김석주가 남인을 처벌한 토역전말을 청나라에 알리자고 건의하는 내용이 나온다.

> 이번에 역적을 토멸한 시말始末을 북경北京에 주문奏問하지 않을 수 없는데, 금평위錦平尉 박필성朴弼成이 사은사謝恩使로 차정差定되었으니, 진주사陳奏使를 겸임시키는 것이 편리할 듯합니다.

숙종은 오삼계가 죽고 '삼번의 난'이 실패로 끝날 조짐이 보이자 청나라로부터 도체찰사부 복설 이유에 대해 추궁 받은 것을 내심 염려했다. 이에 '경신환국'으로 권력을 잡은 서인은 도체찰사부 설치 등 북벌론의 책임을 모두 남인에게 돌리고 청나라에게 이들을 모두 처벌했다고 보고하면서 북벌론으로 야기된 청나라와의 긴장관계를 완화하고자 효종의 사위인 박필성을 진주사를 겸한 주문사로 파견하고자 했던 것이다.

'경신환국'으로 해체된 도체찰사부는 이후 우리 역사에 등장하지 않는다. 평시체제를 전시체제로 전환해야 하는 국가적 위기가 전혀 없었기 때문은 분명 아니었을 텐데 도체찰사부가 병권을 장악하는 통로로 악용될 수 있다는 우려 때문이었는지 아니면 도체찰사를 임명해도 그가 통솔할 군대가 없었기 때문인지 몰라도 조선이 망할 때까지 이 기관은 두 번 다시 설치되지 않았다.

'경신환국'으로 남인들이 대거 축출된 사건을 '경신대출척'이라고도 부른다. 이때 도승지와 대사헌을 역임한 이하진도 관직에서 쫓겨나 평안도 운산으로 귀양 갔다. 그는 윤휴와 마찬가지로 북인 출신이었고 허목의 제자였기에 늘 윤휴, 허목과 정치적 입장을 같이 했다. 또 두 스승의 학풍을 이어 받아 주자학이 아닌 원시 유학을 자신의 학문적 바탕으로 삼았다.

당시 54세였던 이하진은 귀양지 운산에서 뜻밖에 막내 아들을 얻었는데 훗날 실학서 『성호사설』 저자로 널리 알려진 이익李瀷이 그의 늦둥이 아들이다. 그는 이듬해 유배지에서 죽었다. 이하진은 5명의 아들을 두었다. 둘째 아들 이잠李潛과 세째 아들 이서李漵, 그리고 막내 아들 이익이 가학家學의 전통을 이은 것으로 유명하다.

가학의 전통이란 가계 외 다른 스승을 찾아가 학문을 익히지 않고 족부族父나 가형家兄을 통해 학문을 익히는 전통을 말한다. 이하진의 학문은 이잠과 이서로 이어졌고 태어난지 8개월만에 아버지를 여읜 이익은 스무살 연상의 형 이잠과 이서에게서 아버지 이하진의 학문을 물려 받았다. 이하진 집안의 가학이 유명한 이유는 이지정李志定-이하진-이서로 이어진 여주 이씨의 필력이 옥동체玉洞體라는 서풍을 탄생시켰기 때문이다. 서가에서는 조선시대 유명한 서예가와 글씨로 조맹부의 송설체, 한호의 석봉체, 김정희의 추사체와 더불어 이서의 옥동체를 꼽고 있다. 이서의 옥동체는 윤두서尹斗緖, 윤순尹淳, 이광사李匡師로 그 맥이 이어졌는데 조선만의 고유 글씨라는 의미에서 그 서체를 동국진체라 부르고 있다.

이하진 집안의 가학은 학문의 대물림으로도 유명하다. 학문으로 일가를 이루어 남인들의 학문과 사상의 최고봉이 된 성호학의 창시자 이익을 비롯하여 경제학의 이만휴李萬休, 천문학과 문학의 이용휴李用休, 경학과 사학의 이가환李家煥, 지리학의 이중환李重煥 등이 모두 그의 집안사람이다. 이하진 집안의 가학을 눈여겨 보는 까닭은 윤휴의 학문과 사상이 이하진을 통해 이익에게 이어졌고 이익을 통해 남인 실학자 안정복安鼎福, 정약용丁若鏞 등에게 전해졌기 때문이다.

이익을 비롯한 남인들의 실학사상에는 윤휴가 북벌을 위해 추진했던 사회개혁, 즉 '경세치용학'이 기저를 이루고 있는데 반해 명분론적 사대주의의 연장선에서 북벌을 주장하였다가 오랑캐인 청나라의 문물이 바로 선진 중화 문화임을 인정하여 이를 받아들이자고 주장한 서인 노론계 실학자 홍대용洪大容, 박지원朴趾源, 박제가 등 이른바 북학은 '이용후생학'을 근간으로 삼았다는 점에서 실학적 사유는 같았으나 지향점이 다름을 알 수 있다.

당파를 떠나 북벌이 북학으로 이어졌다는 일부의 주장에 대해선 선뜻 동의하기 어렵다. 서인 노론계 실학자들은 차치하더라도 남인 실학자 중에서 천주교를 적극적으로 수용하고자 했던 성호 좌파를 북학파로 분류하기엔 경세관에서 많은 차이를 보이기 때문이다. 북학파가 훗날 개화파로 거듭나는 일련의 과정을 보면 더욱 그런 생각이 든다. 그들에게 있어 천주교는 사회개혁을 위해 받아들여야 할 선진문물이 아닌 인간다움을 추구하는 삶이 지향하는 신앙 그 자체였다고 보는 편이 더 타당하지 않을까?

부치지 않은 마지막 편지

'경신환국'으로 서인들이 정권을 잡자 송시열은 해배되어 고향인 회덕으로 돌아왔다. 그 소식을 들은 윤증은 스승인 송시열을 찾아가 문안 인사를 드렸다. 그리고 마지막으로 아버지 윤선거의 묘갈문 개찬을 다시 한번 요청했다. 윤증이 묘갈문 수정을 계속 요구한 이유는 두 가지 이유 때문이었다. 하나는 윤선거와 송시열의 40년이 넘는 교우관계에 비추어 볼 때 송시열이 스스로 윤선거를 평가하지 않고 후배인 박세채의 말로 대신한 것은 송시열 본인조차도 후대의 비판을 면할 수 없는 일이라고 생각했기 때문이고, 다른 하나는 스승이 자신의 부친과 어떤 점에서 어떻게 견해가 달랐는지를 알아야 부친의 편지(기유의서)가 '붕우책선朋友責善'으로 유의미했는지 알 수 있었기 때문이었다. 이런 이유로 주변사람들의 만류에도 불구하고 부친의 편지를 박세채가 지은 행장에 동봉하여 보냈던 것이다.

'붕우책선'이란 '벗끼리 좋은 일을 하도록 권한다'는 뜻이다. 윤선거는 '기유의서'에서 "좋으면 무릎에 올려 놓고 미우면 연못에 밀어 넣는 편협한 생각은 버리고 두루 소통하시라"고 송시열에게 유언과 같은 충고를 '책선'으로 남긴바 있다. 그러나 송시열은 윤증의 요구를 끝내 거절함으로써 윤선거의 '책선'도 받아들일 수 없음을 분명히 했다. 이로써 윤선거의 유언과 같은 충고도 송시열의 기질적, 본원적 병통을 치유하는데 아무런 도움이 되지 않았다는 것을 윤증도 깨닫게 되었다.

신유년(1681)에 윤증은 송시열에게 부치지 않은 마지막 편지를 썼다. 노론과 소론의 분화를 촉발시킨 '신유의서'가 그것이다. 윤선거의 '기유의서'가 '붕우책선'을 명분으로 삼은 것처럼 윤증의 '신유의서'도 스승에 대한 '규간規諫'이라는 명분을 가지고 썼다. 제자가 스승의 잘못을 고치도록 '규간'하는 것 역시 책선지도였고 송시열이 자신에게 당부했던 '책선'의 의리도 이와 다르지 않았다.

윤증은 송시열의 병통을 '왕패병용王覇竝用, 의리쌍행義利雙行'으로 요약했다. '왕도와 패술을 함께 쓰고 의리와 사리를 아울러 행사한다'는 뜻이다. 송시열이 주자학과 북벌 대의를 내세우면서 자신과 견해와 입장이 다른 사람들을 배척하고, 실질적으로 자신의 수신에는 힘쓰지 않으면서 남을 공격하고 이기려는 말만 끊임없이 반복한다고 지적하였다. 송시열이 자신의 주장을 무조건 주자의 말이라고 내세우면서 복종을 강요하는 것은 '왕패병용'의 결과라고 비판했으며, 송시열이 평생 북벌 대의를 내세웠지만 그 실질적인 효과는 없이 녹봉과 지위만 융숭해지고 명성만 널리 퍼져서, 명예와 이익을 구하는 수단으로 전락한 것은 '의리쌍행'의 결과라고 비판하였다. 윤증의 '규간'은 윤선거의 '책선'보다 훨씬 더 직설적이고 신랄했다.

이 편지는 부치지 않았으므로 3년 동안 세상에 알려지지 않았다. 그러다 1684년 송시열의 손자이자 박세채의 사위인 송순석宋淳錫이 박세채의 집에서 몰래 베껴 조부인 송시열에게 전했다. 편지를 읽은 송시열은 대노

大怒했다고 한다. 그럼에도 불구하고 자신이 당부한 '책선'의 의리도 있고 해서 이 편지에 대한 답장을 보냈다. 『명제연보』에 송시열이 보냈다는 답장이 실려있다.

> 자네가 지적한 것은 모두 나의 실제 병통이지만 '의리와 사리를 아울러 행사하고 왕도와 패술을 함께 쓴다'는 대목은 더욱 지나치게 나를 인정해 관대하게 말한 것임을 알겠네. 그러나 편지를 읽은 뒤로는 마치 침으로 몸을 찌르는 것만 같네. 비유하자면 환자가 고질병이 악화돼 죽으려 할 때 갑자기 훌륭한 의원이 신단神丹의 묘약을 처방해줘 살길을 찾게 된 것과 같네. 그 훌륭한 의원의 본심이 과연 환자를 사랑하는 뜻에서 나왔는지는 모르겠네만 그 은혜는 어찌 한량이 있겠는가?

'신유의서'가 공개되기 한 해 전인 1683년 송시열과 박세채, 윤증은 동시에 숙종의 부름을 받았다. 젊은 관료들이 김석주 등 외척세력의 정탐정치에 반기를 들어 조직적으로 반발할 움직임을 보이자 그들의 불만을 무마하기 위해 산림의 명망있는 원로들에게 출사를 권유한 것이다. 김석주는 허적과 윤휴를 음모로 제거한 것도 모자라 조정에서 남인을 뿌리 뽑기 위해 고변과 기찰을 통한 정탐정치까지 동원하는 것을 서슴지 않았다. 이에 삼사에 포진한 젊은 관료들은 훈척의 정탐정치를 비판하며 사림정치의 원칙인 공론정치로 국정을 이끌어야 한다고 주장하며 원로들에게 이를 바로잡아 달라고 호소하였다.

그런데 당시 사림정치의 상징적 인물로서 서인 산림을 대표하고 있던 송시열은 이들의 기대와는 달리 김석주를 지지하였다. 송시열이 사림정치와 공론정치의 원칙을 저버리고 훈척의 공작정치를 긍정한 것은 정국 운영에서 남인을 축출하는 것이 다른 어떤 문제보다도 중요하다고 판단했기 때문이다. 즉 송시열은 소인당인 남인을 내치고 군자당인 서인만으로 정국을 운영하는 것이 주자의 붕당론을 실현하는 유일한 방법이며, 이것이 사림정치와 공론정치의 원칙을 지키는 것보다 중요하다고 본 것이다. 이로 인해 젊은 관료들과 선비들의 반발이 더욱 확산되자 박세채가 나서서 송시열에게 윤증을 조정에 불러들이자고 제안하였다. 송시열이 이에 동의하자 송시열과 박세채, 윤증이 동시에 왕의 부름을 받았던 것이다. 역사는 이를 '삼인동사三人同事'라 부른다.

그러나 윤증은 세 가지 이유를 들어 출사를 거부했다. 무엇보다도 남인들의 원한을 풀어 주어 상생과 화합의 정치를 해야 하는데 현재로선 가능성이 없다는 것이 첫 번째 이유였고, 두 번째 이유로는 외척들의 전횡을 막아야 국정이 바로 서고 공론정치를 펼칠 수 있는데 김석주가 우의정 자리를 차지하고 있는 한 어렵다고 본 것이다. 그 때문에 그런 김석주와 더불어 송시열이 주도하는 정국운영방식 즉 서인만의 1당체제의 독선과 독주를 막을 방법이 없다는 것이 세 번째 이유였다.

윤증의 출사 조건이 현실적으로 어려운 일이라는 점을 모두 인정한 박세채는 윤증이 과천까지 왔다가 출사를 포기하고 고향인 이산(논산)으로 내려가자 자신도 파주로 낙향했다. 윤증과 박세채가 출사를 포기하자 체면상 혼자 출사할 수 없었던 송시열도 서울을 떠나 화양동으로 들어갔다. 이후 윤증의 출사 거부 논리는 젊은 관료들과 선비들에게 계속 회자되었

박세채 화상.

고 그만큼 송시열은 정치적 타격을 받았다.

이무렵 박세채는 국면을 타개하기 위한 변통적 처방의 일환으로 '황극탕평론皇極蕩平論'을 들고 나왔다. 양란 이후 조선왕조 국가가 처한 대내외적 위기를 극복하기 위해 새로운 정책과 제도를 모색하고 이를 정치의 중심문제로 끌어들이려는 젊은 관료들과 일부 선비들이 노력해온 결과였다. 이것은 윤휴와 윤선거가 주장한 북벌론(제도개혁을 통해 양반제와 지주제의 모순을 제거하거나 약화시켜야만 북벌이 가능하다고 본 것)의 연장선상에서 나온 것이었으므로 윤증 역시 같은 입장을 견지하였고 젊은 관료들과 선비들 또한 이 탕평론을 지지하는 입장이었다.

이처럼 조정에서 탕평론에 동조하는 세력이 늘어나자 이를 저지하기 위해 송시열의 문인인 최신崔愼이 윤선거와 윤증을 비판하는 상소를 올렸다. 윤선거가 쓴 '기유의서'와 윤증이 쓴 '신유의서'를 문제 삼은 것이다. 두 편지 모두 송시열의 병통과 잘못을 고치도록 오랜 벗이 '책선'하고 제자가 '규간'한 것인데 특히 윤증이 쓴 '신유의서'에 대해서는 스승을 배반한 죄로 처벌해야 한다고 강력하게 주장하였다.

이에 윤선거의 문인인 나양좌羅良佐와 박세채 등이 나서 윤증을 옹호함으로써 송시열과 윤증 두 사람간의 '책선'과 '규간' 논쟁이 차원을 달리하여 조정의 정치적 갈등으로 비화되었다. 이 사건을 '회니시비懷泥是非'라 부르는데 송시열의 고향 회덕懷德과 윤증의 고향 이산泥山의 앞 글자를 따서 명명되었다. 이때 송시열을 지지하는 편은 '노론'이 되었고 윤증을 지지하는 편은 '소론'이 되었다.

이렇게 보면 '회니시비'는 제도개혁에 대한 찬반의 연장선상에서 탕평론과 반탕평론이 갈등하는 한 형태였음을 알 수 있다. 송시열과 노론이 윤증과 소론을 공격한 것은 모두 주자학 의리론에 바탕을 둔 개인의 도덕과 의리차원에서 이루어졌다는 점을 눈여겨 봐야 한다. 이는 국가의 위기를 타개하기 위한 정책수립을 정치의 본령으로 삼자는 탕평론을 무력화시키기 위한 것이었고 양반과 지주의 기득권을 고수하려는 수구세력의 몸부림이 아니었나 생각된다.

결국 이렇게 시작된 '회니시비'는 '아비와 자식, 스승과 제자 중 누가 중重하고 누가 경經하냐' 라는 개인의 도덕과 의리 문제로 끝까지 몰아가 숙종의 '병신처분丙申處分'을 이끌어 낸 노론의 승리로 끝남으로써 조선 후기 노론의 일당 전제정치가 시작되었다고 학계에서는 보고 있다. '병신처분'이란 병신년인 1716년(숙종 42) 숙종이 노론과 소론간의 논쟁에 개입하여 윤증의 '신유의서'에는 허물이 있고 송시열의 묘갈문에는 윤선거에게 욕을 끼친 바가 없다고 판결한 후 윤선거 문집의 인쇄 원판을 없애도록 하고 아울러 윤선거와 윤증 부자의 관작을 추탈하도록 한 조치를 말한다.

숙종이 이러한 처분을 내린 배경에는 장희빈 소생의 세자 이윤李昀(훗날 경종)의 교체를 원했기 때문이라는 것이 학계의 중론이다. 당시 소론이 세자를 적극 옹호하고 있었기 때문에 숙종으로서는 소론의 정치력을 위축

시켜야 할 필요성이 있었다. 실제로 이 처분으로 인해 소론은 학문적으로나 정치적으로 이념과 명분에서 심각한 타격을 입고 정국에서 배제되었다. 윤선거와 윤증의 관작은 경종(재위 1720~1724)이 즉위하여 복관되었는데 이후 노론이 정권을 장악하면서 몇 차례에 걸쳐 추탈과 복관을 거듭하였고 조선이 망하는 순간까지 관작을 삭탈하라는 상소가 끊이지 않았다.

한편 박세채가 주장한 황극탕평론은 후에 영조, 정조가 탕평정치를 펼치는데 이론적 역할을 담당하면서 화려하게 부활하였다. 이러한 이유로 사후엔 바로 숙종의 묘정에 배향되었고 1764년 노론의 반대에도 불구하고 영조에 의해 성균관 문묘에 종사되어 소론계 학자로는 유일하게 문묘에 종사된 인물이 되었다.

문묘는 신라, 고려, 조선시대를 거치면서 나라에서 공인한 최고의 정신적 지주에 오른 동방 18현의 신위를 모신 곳이다. 따라서 문묘 종사는 유학자로서 추구하는 최고의 가치이자 이상이며 최고의 명예로운 자리이다. 신라시대의 인물로는 설총과 최치원이 배향되었고 고려시대 인물로는 안유(향)와 정몽주가 배향되었으며 조선시대 인물로는 김굉필, 정여창, 조광조, 이언적, 이황, 김인후, 이이, 성혼, 김장생, 조헌, 김집, 송시열, 송준길에 이어 마지막으로 박세채가 배향되었다.

제3부
윤내현尹乃鉉

거대한 뿌리

10대 때부터 내 삶을 관통한 있는 책이 있다. 신채호의 역사서 『조선상고사』가 그 중 가장 대표적인 책이다. 졸시 「역사를 외다」에서 고백했듯이 그 시절 소년은 이미 『조선상고사』 총론 서두를 달달 외우고 있었다. 그런데 무슨 이유로 한문투성이의 이 어려운 책을 외우기 시작했는지는 여전히 기억나지 않는다.

> 역사란 무엇인가? 인류 사회의 '아我'와 '비아非我'의 투쟁이 시간으로 발전하고 공간으로 확대되는 심적心的 활동상태의 기록이니, 세계사라 하면 세계 인류가 그렇게 되어온 상태의 기록이요, 조선사라 하면 조선 민족이 이렇게 되어온 상태의 기록이다. 무엇을 '아'라 하며 무엇을 '비아'라 하는가? 깊이 팔 것 없이 얕이 말하자면, 무릇 주관적 위치에 서 있는 자를 아라 하고, 그 밖의 것은 비아라 한다.

숫기가 부족했던 소년이 이 대목을 낭송하면 철없는 어린 놈 입에서 나올 말이 아니라며 주위에서 한마디씩 쥐어 박았다. 하지만 한편으로 대견

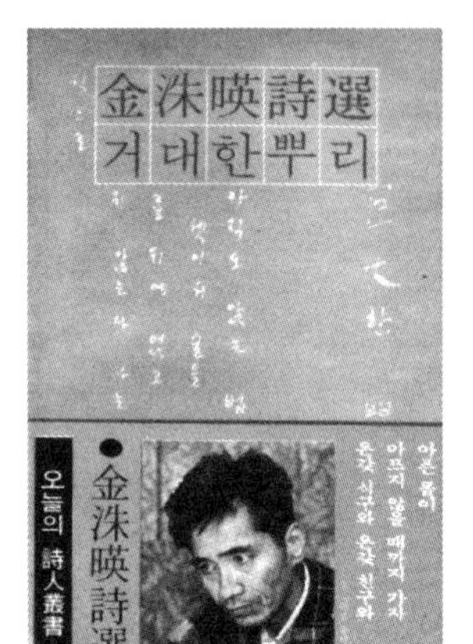

해 하는 눈길도 있었기에 소년은 이 책을 더욱 애지중지하였다. 그러다 소년이 고등학생이 되었을 때 또 한 권의 책이 그 소년의 미래를 관통했다.

김수영金洙暎의 시집 『거대한 뿌리』를 만난 것이다. 이 땅의 역사와 전통을 긍정하기 위해 시인은 사람을 만날 때마다 앉는 자세를 고쳐야 하는 무수한 반동의 시대를 살면서도 우리의 역사와 전통을 지키기 위해 자신의 시에다 쌍욕을 서슴지 않았던 그 시집의 표제시 「거대한 뿌리」는 까까머리 문청에게 '시란 무엇인가?' 라는 물음을 던져주기에 충분했다.

시는 언어의 조탁을 넘어 시인의 생각과 삶의 양식을 지배하고 있는 의식의 단편이라는 것을 김수영 시인은 온몸으로 말하고 있었던 것이다.

나는 아직도 앉는 법을 모른다
어쩌다 셋이서 술을 마신다 둘은 한 발을 무릎 위에 얹고
도사리지 않는다 나는 어느새 남쪽식으로
도사리고 앉았다 그럴때는 이 둘은 반드시
이북친구들이기 때문에 나는 나의 앉음새를 고친다
8·15 후에 김병욱이란 시인은 두 발을 뒤로 꼬고
언제나 일본여자처럼 앉아서 변론을 일삼았지만
그는 일본대학에 다니면서 4년동안을 제철회사에서

노동을 한 강자強者다

나는 이사벨 버드 비숍 여사와 연애하고 있다 그녀는
1893년에 조선을 처음 방문한 영국 왕립지학협회 회원이다
그녀는 인경전의 종소리가 울리면 장안의
남자들이 모조리 사라지고 갑자기 부녀자의 세계로
화하는 극적인 서울을 보았다 이 아름다운 시간에는
남자로서 거리를 무단통행할 수 있는 것은 교군꾼,
내시, 외국인의 종놈, 관리들뿐이었다 그리고
심야에는 여자는 사라지고 남자가 다시 오입을 하러
활보하고 나선다는 이런 기이한 관습을 가진 나라를
세계 다른 곳에서는 본 일이 없다고
천하를 호령한 민비는 한 번도 장안 외출을 하지 못했다고…
전통은 아무리 더러운 전통이라도 좋다 나는 광화문
네거리에서 시구문의 진창을 연상하고 인환네
처갓집 옆의 지금은 매립한 개울에서 아낙네들이
양잿물 솥에 불을 지피며 빨래하던 시절을 생각하고
이 우울한 시대를 파라다이스처럼 생각한다
버드 비숍 여사를 안 뒤부터는 썩어빠진 대한민국이
괴롭지 않다 오히려 황송하다 역사는 아무리
더러운 역사라도 좋다
진창은 아무리 더러운 진창이라도 좋다

나에게 놋주발보다도 더 쨍쨍 울리는 추억이
있는 한 인간은 영원하고 사랑도 그렇다

비숍 여사와 연애를 하고 있는 동안에는 진보주의자와
사회주의자는 네에미 씹이다 통일도 중립도 개좆이다

은밀도 심오도 학구도 체면도 인습도 치안국
으로 가라 동양척식회사, 일본영사관, 대한민국 관리,
아이스크림은 미국놈 좆대강이나 빨아라 그러나
요강, 망건, 장죽, 종묘상, 장전, 구리개 약방, 신전,
피혁점, 곰보, 애꾸, 애 못 낳는 여자, 무식쟁이,
이 모든 무수한 반동이 좋다
이 땅에 발을 붙이기 위해서는
-제3인도교의 물 속에 박은 철근 기둥도 내가 내 땅에
박는 거대한 뿌리에 비하면 좀벌레의 솜털
내가 내 땅에 박는 거대한 뿌리에 비하면

괴기영화의 맘모스를 연상시키는
까치도 까마귀도 응접을 못하는 시꺼먼 가지를 가진
나도 감히 상상을 못하는 거대한 거대한 뿌리에 비하면…

김수영이 「거대한 뿌리」에서 보여준 과격하면서도 명쾌한 시론은 소년

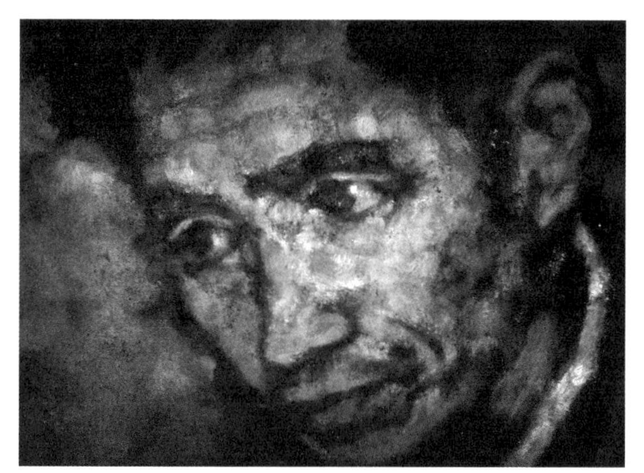

김수영 화상. 들꽃화가 강우근화백의 고등학생 시절(1982년) 작품이다.
세월이 흘렀어도 그림 속의 눈빛과 시에 대한 열정은 여전히 살아 있다.

에게 역사인식에 근거한 시작詩作의 당위성을 일깨워 주었던 것 같다. 『조선상고사』 총론을 외우면서 일찍이 역사의식에 눈을 뜬 소년은 역사를 공부하며 시를 쓰는 일을 필생의 업으로 삼겠다고 결심했고 지금도 그 연장선상에 있다. 졸시 「역사를 외다」에서의 고백처럼.

조선상고사 총론을 무작정 외웠던 유년시절이 있었다
역사란 무엇인가로 시작해서 그러므로 역사란
아와 비아의 투쟁의 기록인 것이다까지 졸졸 외웠다
어른들은 쓸데없는 것을 왼다고 한마디씩 쥐어박았다
어린 놈 입에서 무산계급 지주 자본가란 말이 나오다니
영민한 놈이라도 기가 찰 노릇이었다
언제 무슨 이유로 총론을 외기 시작했는지 기억나지 않는다

하지만 분투가 맹렬했던 시대를 함께 살면서
역사의 함성에 작은 소리를 보탰던 내 몸은 기억하고 있다
기록된 역사가 투쟁에서 승리한 자의 것이라면
기억해야 할 역사는 패배를 두려워하지 않는 자의 것이리라
그렇다면 내 몸이 기억하고 있는 역사는 누가 이룩한 것인가

회식자리 직원들 앞에서 조선상고사 총론을 외웠다
무산계급 지주 대신 노동자 재벌로 바꿔 외웠다
나이 든 직원은 정선 아리랑 두 소절을 구슬피 외웠다
젊은 직원은 김삿갓 시 죽 한 그릇을 쓸쓸히 강독했다
맹렬한 분투보다 소소한 일상이 더 고단한 시대를 살면서
우리는 온몸으로 저마다의 역사를 외웠다

불멸의 윤내현

선학을 관통한 학문은 반드시 후학으로 이어진다. 신채호의 『조선상고사』 연구가 그런 경우다. 선학이 조선 후기 실학자 이익의 『성호사설』과 안정복의 『동사강목』이었다면 후학은 정인보鄭寅普의 『조선사 연구』와 윤내현의 『고조선 연구』가 아닐까 싶다. 후학 정인보의 역사연구는 단재사학에서 계발되었고 그것을 계승하면서 이루어졌다는 것이 학계의 중론이다. 해박한 한학의 지식과 광범위한 사료의 섭렵은 단재사학의 고대사의 전개를 보다 완벽하게 체계화했으며 그와 아울러 단재사학의 사론의 일부를 더 충실한 이론으로 완성시켰다는 평가를 받고 있다.

또 한 명의 후학으로 단국대 윤내현 교수를 손꼽는 사람들이 많다. 고대사 분야에서 윤내현만큼 광범위하게 중국 문헌과 고고학 성과를 두루 인용하여 자신만의 학설을 정립한 학자가 근래에 거의 없었고 윤내현만큼 많은 고대사 관련 역사서를 저술한 학자도 없었기 때문이다. 이런 이유로 그는 고대사 분야에서 신채호와 정인보의 위상에 버금가는 독보적인 족적을 남겼다는 평가를 받고 있다. 다만 아직 생존해 있는 인물인 만큼 단정적으로 평가하기엔 조금 이르다는 시각도 있다.

나는 그를 불멸의 윤내현이라 부른다. 학연으로 똘똘 뭉쳐있는 한국 사학계의 폐쇄적인 연구 풍토 속에서 치밀한 문헌고증과 고고학적 성과를 반영한 논문 「기자신고」 발표(1982년)를 시작으로 기존의 통설을 뒤집는 대담한 학설을 연이어 발표하여 학계는 물론 언론과 일반 대중들로부터도 큰 주목을 받았다. 그러나 주류 사학계의 배타적 시류 탓에 그만큼 고난과 시련도 많았다고 한다.

주류 사학계의 배타성은 어제 오늘의 문제가 아니다. 언론을 비롯하여 각계각층에서 이 문제를 지속적으로 제기하고 사학의 풍토를 개선하기 위해 끊임없이 여론을 형성하여 왔지만 학문의 세계 역시 권력의 속성으로부터 자유로울 수 없는 것인지 이러한 노력은 학문권력에 의해 번번이 무산되었다.

주류 사학계에서는 이병도李丙燾와 신석호申奭鎬를 한국 사학계의 태두로 추앙하고 있다. 이들은 일제 강점기 조선총독부가 만든 '조선사편수회'에 참여한 인물들로 후에 학술원장과 문교부장관을 지내며 사학계에 막강한 인맥을 만들었다. 이들이 만든 인맥이 학문권력을 차지하였고 강단 사학계의 주류가 되었다는 것은 누구나 익히 알고 있는 사실이다. 문제는 이들이 한국 고대사를 왜곡하고 말살하는데 앞장섰던 조선사편수회 이마니시 류今西龍의 제자라는 점이다.

이마니시 류는 「단군신화설」이라는 논문으로 도쿄東京대학에서 박사학위를 받은 한국사 전공자이다. 응당 『삼국유사』를 기본사료로 삼았을 것이다. 1929년에는 『단군고』를 출간하여 단군과 단군조선은 역사가 아니라 근래에 만들어진 신화라고 주장했다.

조선에는 개국의 신인神人으로 단군이라는 사람이 있다는 전설이 있으며, 그 나라를 단군조선이라 칭하고, 이에 이어서 일어났다고 전하는 기자箕子·위씨衛氏의 두 조선을 모두 합하여 고조선古朝鮮 혹은 삼고조선三古朝鮮이라 칭하며, 이로써 이씨조선李氏朝鮮하고 구별한다. 그리하여 단군을 숭봉존신崇奉尊信하는 일이 근대에 급작스레 성하게 되었으며 이를 조선 민족의 조신祖神으로 하여 단군교檀君敎 또는 대종교大倧敎로 칭하는 신도조차 생기게 되었다. 그렇지만 단군 전설은 현재처럼 이루어짐이 결코 옛날부터 있었던 것은 아니다. 또한 단군의 칭호는 옛날부터 있었던 것은 아니다.

선학을 관통한 학문은 반드시 후학으로 이어진다고 했다. 학풍의 습속이 같아서일까? 이병도와 신석호는 물론이거니와 이들이 만든 인맥들 또한 이마니시 류의 이러한 주장을 여전히 추종하고 있다. 이마니시 류가 한국 고대사를 왜곡하고 말살하는데 심혈을 기울인 부분은 단군조선만이 아니다. 그는 요동에 위치한 한사군을 한반도 북부의 황해도와 평안도로 비정하고 고구려와 발해를 한국사에서 분리하여 금나라와 청나라로 이어지는 별도의 만주사로 보았다.

또한 그는 『삼국사기』의 초기기록을 부정하여 신라와 백제의 역사를 300~400년이나 축소하고 『일본서기』의 '임나일본부설'을 근거로 고대 한반도 남부에 대한 일본의 영향력을 근대 조선병탄에 이용하고자 하였다. 이러한 이마니시 류의 역사왜곡을 도저히 용납할 수 없었던 한국사회의 지성들은 해방 후에도 이병도와 신석호가 만든 인맥들이 여전히 그의 주장을 추종하고 있는 것에 대해 실망하고 분노하여 그들을 식민주의 역사학자라 부르고 있는 것이 아닌가 생각된다.

사실 우리나라 고대사의 최대 쟁점으로 한사군과 임나일본부라 해도과언이 아니다. 이마니시 류는 한국 역사의 강역에서 대륙과 해양을 배제하고 반도 영토로만 규정한 후 북쪽에는 고대 한나라의 식민지인 한사군이 있었고 남쪽에는 고대 야마토 왜의 식민지인 임나일본부가 있었다고 주장했다. 즉 한국 역사는 반도사이자 식민지로 시작했다는 것이다. 반도의 북쪽은 중국 식민지였다는 한사군 한반도설과 남쪽은 일본 식민지였다는 임나일본부설이 일제 식민주의 사관의 핵심인 것이다. 그런데 이러한 일제 식민주의 사관을 중국에서 그대로 동북공정의 논리로 차용하고 있어 고대사의 쟁점이 삼국간에 복잡한 역사전쟁으로 전선이 확대되고 있는 느낌이다.

윤내현의 논문 「기자신고」는 그때까지만 해도 주류 사학계가 존재 자체를 인정하지 않았던 기자조선이 당시 발굴된 갑골문과 고고학 유물들을 볼 때 실재 존재했음이 명백하다고 주장한 것이었다. 그가 이런 주장을 할 수 있었던 것은 중국사를 전공하면서 갑골문에 나타난 중국 고대사 연구로 석·박사 논문을 썼을만큼 중국어에 능통했기 때문이기도 했지만 미국 하버드대 유학중에 옌칭燕京도서관에서 다양한 사료들을 접할 수 있었기 때문이었다.

치밀한 문헌고증은 이때부터 시작되었다. 이후 일련의 고대사 관련 논문에서 중국 고대사서와 만주와 한반도 일대에서 나온 고고학적 발굴 성과를 증거로 위만조선이 들어서기 이전까지 고조선의 중심영역이 지금의 북경 동쪽을 흐르고 있는 난하 유역이었으며 그 통치영역이 만주와 한반도 전역이었다는 주장들을 내놓았던 것이다.

특히 그는 서기전 108년 한무제(재위 BC 141~BC 74) 유철劉徹이 위만조선을 멸망시키고 그 자리에 설치했다는 한사군 위치가 주류 사학계에서 통용되고 있는 평양 일대 한반도 북부가 아니라 난하 동쪽이었다고 주장함으로써 그들의 통설을 정면으로 반박했다. 이러한 윤내현의 주장에 대해 주류 사학계의 반응은 상식 밖이었다. 윤내현이 「기자신고」를 비롯한 일련의 고대사 관련 논문을 발표하고 난 뒤 언론사와 인터뷰한 내용을 종합해 보면 그들의 반응은 학문적 대응이 아니라 거의 마타도어 수준의 대응이었음을 알 수 있다.

논문발표회 때 어떤 대선배 교수 한 분이 노골적으로 책상을 치면서 "영토만 넓으면 좋은 줄 아느냐, 터무니없는 주장을 한다"며 화를 낸 민망한 일이 있었다는데 그 일이 고난과 시련의 서막이었던 모양이다. 그는 신화와 역사를 구분하지 못하는 사이비 역사학의 추종자로 매도당하기 일쑤였고 북한 역사학자 리지린李址麟의 논문 『고조선 연구』의 일부를 인용했다는 이유로 표절시비에 휘말려 곤욕을 치러야 했으며 종북학자로 몰려 정보기관의 조사도 받아야 했다. 뿐만 아니라 고대사의 중요성을 역설하고 민족정체성을 강조하면 독재정권에 협력하는 학자로 취급받기도 했다.

우리 고대사, 특히 고조선을 연구하고 그에 대한 새로운 연구결과들을 발표한 탓에 선배교수에 대한 예의도 지킬 줄 모르는 놈, 사상적으로 의심스러운 놈, 남의 것을 베껴먹기나 하는 놈, 역사를 정통으로 공부하지 못한 놈, 독재정권에 도움을 준 놈, 비민주적인 사고를 가진 놈, 세계화에 발 맞추지 못한 시대에 뒤떨어진 놈 등으로 매도된 셈이다.

윤내현은 자신의 고대사 연구 30년을 이렇게 회상했다. 그럼에도 불구하고 그의 연구는 고조선의 중심지가 평양일대 한반도 북부라고 완강하게 주장했던 주류 사학계가 고조선의 초기 중심지는 요동지역이었으나 후기에는 중국의 세력에 밀려 점차 한반도 평양일대로 이동했다는 이른바 '중심지이동설'을 이끌어 냈다.

물론 이러한 중심지이동설 또한 변형 식민주의 역사학이라는데에는 이론의 여지가 없지만 어쨌거나 이러한 주장도 원래 고조선의 중심지가 난하 동쪽이라는 그의 주장에 고고학적 발굴이 속속 드러나면서 학문으로서의 근거를 잃게 되자 일부 수용했다는 점에서 의의가 있다 할 수 있을 것이다. 그래서 나는 그를 불멸의 윤내현이라 부르고 있는 것이다.

세 사람의 고조선 연구

고조선의 중심지가 난하 동쪽 즉 요동이라는 윤내현의 주장은 새삼스러운 것이 아니다. 이러한 주장은 이미 조선 초기 권람權擥과 조선 중기 홍여하洪汝河 등이 제기한 바 있으며 조선 후기 이익과 박지원 등 실학자 그리고 신채호, 정인보, 최남선崔南善 같은 역사학자들이 다시 주장한 바 있다. 또 북한학자 리지린과 러시아 역사학자 유 엠 부틴도 같은 주장을 하였다. 1960~1990년대에 나란히 『고조선 연구』를 출간한 리지린과 유 엠 부틴 그리고 윤내현의 고조선 연구과정을 살펴 보도록 하자.

세 사람의 고조선 연구자 중 제일 먼저 논문을 발표한 사람은 리지린이다. 일본 와세다早稲田대학에서 중국철학을 공부하고 해방 후 경성법학전문학교(서울대 법대 전신)에서 역사를 가르치기도 했던 그는 한국전쟁 이후에는 북한사회과학원 역사연구소 고대사연구실에 근무하며 고조선 연구를 담당하였다.

북한은 해방 직후부터 일제 식민주의 사관은 물론이거니와 조선의 사대주의와 연결되어 있는 중화 패권주의 사관에서 벗어나 자신들의 눈으로 우리 역사를 탐구하려는 노력을 꾸준히 경주해 왔다. 이러한 노력의 일환으로 실학자와 역사학자들이 주장한 고조선 요동설의 논리를 체계화하고 학술적 토대를 강화하기 위해 전문성을 갖춘 학자의 중국유학을 추진했다. 이 프로젝트에 리지린이 유학생으로 선발되었고 중국 사서에 등장하는 고조선에 대한 기록을 보다 심도있게 연구할 수 있는 기회가 주어졌다. 그의 나이 43살 때인 1958년이었다.

리지린은 북한사회과학원이 기획하고 의도한 대로 베이징北京대학에서 당시 중국 고대사 분야의 최고권위자인 고힐강顧詰剛 교수의 지도 아래 「고조선 연구」 논문으로 박사학위를 받았다. 강역 비정과 그에 따른 역사 전개에 대한 인식 차이로 학위 취득에 어려움이 많았다고 한다.

이로써 고조선의 중심지가 요동이라고 주장한 북한의 고조선 요동설은 관련 당사국인 중국으로부터 공인을 받아 국제적 공신력을 갖게 되었다. 즉 고조선의 역사공간이 중국 동북 3성지역 일대뿐만 아니라 중국 북방지역 만주의 광대한 영역을 포괄하고 있었음을 중국 학계가 학술적으로 인정한 것이다. 그의 논문 『고조선 연구』는 학위 수여 이듬해인 1962년에 정식으로 출간되었다.

그로부터 40년이 지나 중국 국경 내에서 전개된 모든 역사를 중국의 역사로 만들기 위해 2002년부터 중국정부가 동북쪽 변경지역의 역사와 현상에 관한 연구 프로젝트(동북공정)를 추진하면서 자신들이 공인한 고조선의 강역을 전면 부정하고 일제의 식민주의 사관인 한사군 한반도설을 끌어다가 고구려와 발해를 자국의 지방정권이라 주장하고 있다. 이에 한편에서는 리지린을 앞세운 북한의 고조선 연구 프로젝트가 중국의 동북공정을 촉발시켰다는 시각도 있다.

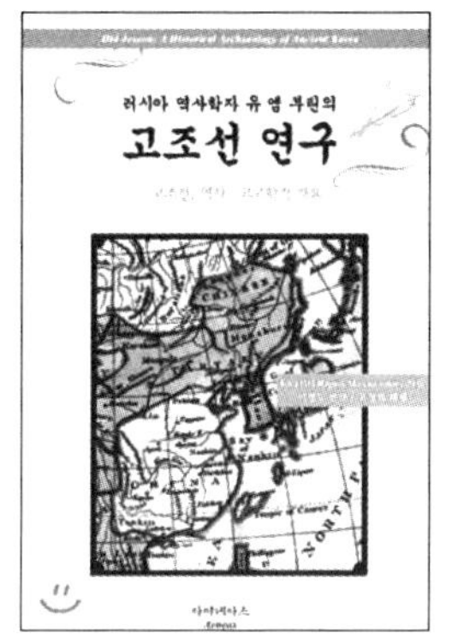

고조선의 중심지가 요동이라고 주장한 리지린(북한), 유 엠 부틴(러시아), 윤내현(한국)의 최근 발간 역사서. 책 제목이 공교롭게도 모두 『고조선 연구』이다.

사실 고힐강을 비롯한 중국의 고사변학파古史辨學派 학자들은 리지린의 박사학위 논문 통과에 그다지 호의적이지 않았다. 한사군 한반도설을 지지하는 입장이었던 그들의 입장에서 보면 고조선의 중심지가 요동이라고 주장하는 리지린의 고조선 요동설을 인정하기가 쉽지 않았을 것이다. 그러나 중국 사료의 철저한 문헌고증으로 작성되어 반박하기도 쉽지 않은 리지린의 논문을 마냥 무시할 수도 없어서 고민을 거듭하다 북한과 중국 간의 국제협력 분위기를 우선시하는 중국정부의 정치적 입장을 고려해야 한다는 논리로 학문적 반론이나 모든 문제제기를 유보한 채 박사학위를 수여했다.

또 이러한 논리의 연장선에서 1963년 리지린의 연구를 고고학적으로 입증하기 위한 조사 및 발굴사업에 중국정부가 기꺼이 협조함으로써 리지린과 북한사회과학원은 문헌고증뿐만 아니라 고고학적 성과를 반영한 고조선 연구에 매진할 수 있었다. 당시 북한사회과학원 대표단을 접견했던 저우언라이周恩來 중국 총리의 발언은 지금도 중국의 동북공정에 일침을 가하는 균형 잡힌 역사관으로 널리 인용되고 있다.

리지린의 『고조선 연구』는 한국의 고대사에 경도되어 북한과 중국의 고고학 자료와 역사 자료를 두루 섭렵했다는 러시아 역사학자 유 엠 부틴에게도 큰 영향을 주었고 그로 하여금 대륙 고조선설을 주장하는 『고조선』이라는 책을 출간하게 했다. 1982년에 세상에 나온 이 책은 1990년에 한국에서도 『고조선 – 역사·고고학적 개요』 제목으로 출간되었는데 이 책의 원서를 하버드대학 옌칭도서관에서 구해온 윤내현이 추천사를 썼다. 학문에 대한 그의 열정과 자세가 읽혀진다.

유 엠 부틴(유리 미하일로비치 부틴)은 1931년 치타주 자바이칼군의 집단농장에서 태어났으며 어려서 스탈린의 강제이주 정책으로 중앙아시아로 이주했다. 이때 같이 강제이주를 당했던 한국인(고려인)들과 빈번히 접촉하면서 자연스럽게 한국어를 습득했다. 이후 칸스크보병군사학교 동방어 번역학과에서 한국어를 공부하고 4년간 군통역관으로 복무하는 동안 북한에서도 근무한 경력이 있는 한국통이었다.

그는 1970년대 중반부터 1980년대 초반까지 러시아과학원 시베리아분소 고고민속학연구소에서 근무하며 한국과 북한을 연구하는 학자들을 위해 한국 고대사와 고고학 관련 문헌들을 번역하는 전문 번역가로 활동했다. 이 시기에 그의 저서 『고조선』이 집필되었고 출판되었으니 단순 번역가가 아니었던 모양이다.

10여 년의 세월이 흘러 대학에서 고고미술사학을 공부한 한국의 젊은 학자가 그가 근무했던 러시아과학원 시베리아분소 고고민속학연구소로 유학가서 그의 근황을 알아보고 모 신문사에 짧은 소회를 남겼다. 글쓴이는 그곳에서 박사학위를 받고 현재 경희대에서 동북아시아 고고학을 강의하고 있는 강인욱 교수다.

고조선에 미쳐서 중국, 북한의 고고학자료와 역사자료를 두루 섭렵한 러시아인이 있었다. 그의 이름은 유리 미하일로비치 부틴이다. 그는 동방학이라 하면 중국이나 일본을 생각하던 당시에 놀랍게도 한국의 고대사를 전공했고 그 중에서도 고조선에 미친 사람이었다(중략). 부틴의 연구는 지금보아도 놀랍다. 고고학을 체계적으로 공부한 사람이 아니기 때문에 자신의 설이나 독창적인 내용은 많지 않지만 고조선의 국경, 수도의 위치 등 한국사람이 읽어도 잘 이해가 안 갈 법한 내용들을 거의 완벽한 이해를 하고 있었다(중략) 부틴은 북한뿐 아니라 남한의 연구에 대한 관심도 높았고 무엇보다도 고조선은 확고하게 한국의 역사로 보았다는 점을 높이 사고 싶다. 그의 이 책은 러시아를 비롯한 동구권의 한국고대사를 대표하는 저작이 되었고 고조선은 한국의 역사라는 것을 러시아사람들이 전혀 의심하지 않는 것도 결국 부틴의 저작 덕분이다.

전 주러시아 공사였던 한 외교관은 현재 진행중인 한·중·일 역사전쟁에서 러시아 학자들이 한국의 우군이 될 수도 있다는 주장을 펴고 있다.

러시아 학자들은 상고사뿐만 아니라 고구려, 발해 및 조선의 역사에 대해서도 열린 자세를 취하고 있다는 것이다. 만주에서 중국학자들이 한국학자들과 함께 고구려나 발해 유적을 발굴한 예는 거의 찾아 볼 수 없지만 러시아 학자들은 1990년대 이래 지속적으로 한국 학자들과 공동으로 연

세 사람의 고조선 연구서 국내 초간. 리지린의 『고조선 연구』는 1989년에, 유 엠 부틴의 『고조선』은 1990년에, 윤내현의 『고조선 연구』는 1994년에 발간되었다.

해주 지역에 있는 발해 유적을 발굴하여 왔다는 점을 그 예로 들었다. 이러한 발굴과 연구결과는 고려와 조선의 북쪽 국경문제와 관련하여 새로운 주장을 뒷받침할 수 있는 고고학적 성과를 기대할 수 있다는 점에서 그 의미가 적지 않다는 것이다.

윤내현은 대학에서 중국사를 공부했다. 중국 고대 상商나라가 그의 전공이었다. 갑골문자를 비롯한 중국 고대사를 연구하다 보니 한국의 고대사인 고조선을 만나는 것은 너무나 당연한 일이었다. 그가 본격적으로 한국 고대사 연구에 뛰어든 것은 1980년대 하버드대 유학중에 옌칭도서관에서 리지린의 『고조선 연구』를 만나면서부터이다. 유 엠 부틴과 마찬가지로 그 또한 이 책에서 많은 영감을 얻었다.

그러나 윤내현은 이러한 사실을 공공연히 밝힐 수 없었다. 또 논문을 쓰면서 참고문헌으로 주석을 달 수도 없었다. 1980년대 후반까지는 아무리 학술논문이라 하더라도 북한 학자의 주장을 함부로 인용할 수 있는 그런

사회적 분위기가 아니었다. 그래서 매사에 조심했는데 주류 사학계에서는 그런 그의 조심성에 표절의 굴레를 덧씌웠다.

1994년에 발간된 윤내현의 『고조선 연구』는 리지린의 『고조선 연구』와 총론인 고조선 요동설 즉 대륙 고조선설은 같지만 각론으로 들어가면 많은 부분에서 주장을 달리한다. 그 부분은 다른 역사공부에서 자세히 논의하기로 하고 먼저 윤내현의 고조선 연구의 핵심이라 할 수 있는 고조선 요동설의 논지를 살펴보자.

앞에서도 언급했듯이 윤내현의 첫 고대사 논문은 1982년에 발표한 「기자신고」이다. 이 논문에 의하면 기자는 상나라의 제후국인 '기箕국'의 제후로서 성姓은 자子였고 실존 인물이었다. 기자는 상나라가 망한 후에 이웃나라였던 단군고조선으로 망명하였는데 그가 망명한 곳은 단군고조선 제국의 서쪽 변방인 난하 유역으로 단군고조선이 중국과 국경을 맞대고 있던 서쪽 경계지역이었다. 기자 일족이 망명하자 단군은 서쪽 변방 지역에 거주하는 것을 허락하고 당시 그 인근에 있던 도읍을 장당경으로 옮겼다.

단군이 기자일족의 거주를 허락한 지역이 바로 오늘날 발해 북안北岸 난하 유역임을 고증해야 하는 이유는 기자조선은 단군고조선의 제후국으로서 단군고조선의 서쪽 경계 지역을 확정하는 데 단초가 되기 때문이다. 서기전 195년에는 위만衛滿이 연나라로부터 난하를 건너 기자국으로 망명해 와서 자신과 같은 망명자들과 세력을 규합하여 기자국의 정권을 탈취하였다. 이어 왕검성에 도읍하고 한나라의 외신外臣으로 입장을 정리한 뒤 한나라의 지원을 받아 위만조선의 동쪽에 있는 단군고조선을 공격하였다. 이 공격으로 위만조선의 강역은 현재의 요서 지역에 있는 대릉하까지 확장

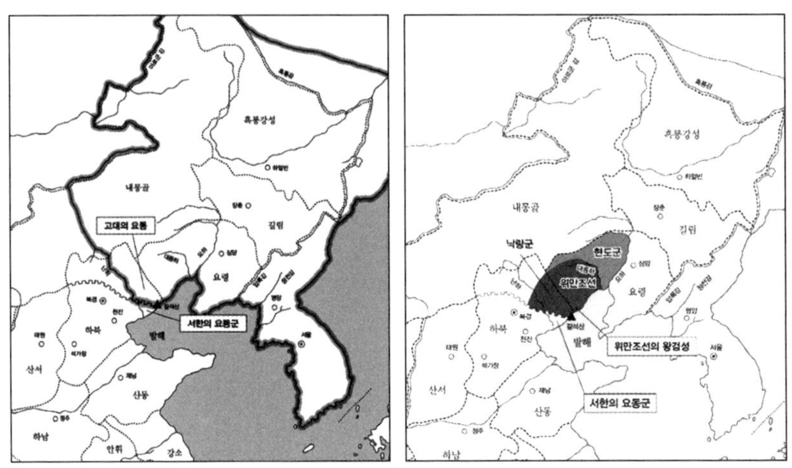

윤내현이 주장하는 단군고조선의 강역(좌)과 위만조선과 한사군의 위치(우).

되었고 단군고조선의 강역은 난하 유역에서 대릉하 유역으로 축소되었다.

그 뒤 위만조선은 한나라 무제의 공격을 받아 멸망하고 위만조선 땅에 한사군이 설치되었다. 따라서 당연히 한사군은 오늘날 난하 유역에 설치된 것이다.

윤내현의 이 논지에 따르면 고조선의 통치자는 단군에서 기자, 기자에서 위만으로 바뀐 것이 아니라 기자에서 위만, 위만에서 한사군이 설치되는 과정은 단군이 계속 통치하던 중에 전체 고조선 제국 영역의 서쪽 변방 경계지역에서 벌어졌던 일이라는 것이다. 그리고 그 서쪽 변방 경계 지역이 오늘날 난하 유역이라는 것이다.

윤내현은 중국 고대 문헌들과 우리의 『삼국유사』, 『제왕운기』 등의 문헌과 갑골문자의 분석을 통해 단군과 기자의 실존, 기자의 조선 망명설, 단군

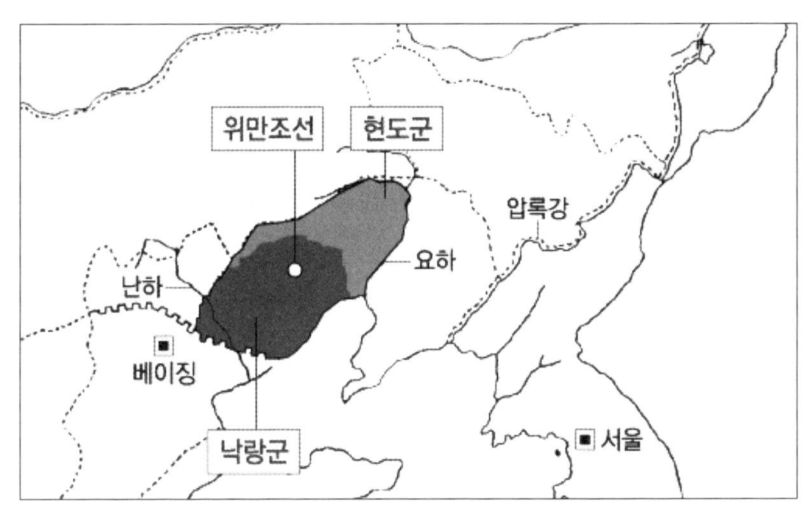

몇 년 전 낙랑군의 치소로 알려진 친황다오秦皇島를 방문했었다. 미국기업 소유의 사과주스공장을 필리핀 기업이 인수하면서 타당성 조사를 한국에 의뢰했기 때문이다. 이 지도를 펴놓고 고조선을 생각하며 밤새 술을 마셨던 기억이 난다.

고조선이 제후국을 거느린 제국이었다는 것을 역사적 기정사실로 확정하고 이렇게 자신의 논지를 전개하였다.

각론에서 조금씩의 차이는 있겠지만 앞에서 거론한 인물들- 권람과 홍여하, 이익과 박지원 그리고 신채호, 정인보, 최남선, 리지린, 유엠 부틴 등이 주장한 고조선 요동설을 후학인 윤내현은 이렇게 간단명료하게 정리하였던 것이다.

민족을 버리면 역사가 없을 것이다

임진왜란이라 불리는 조일전쟁 후에도 조선왕조가 무너지지 않고 유지되자 일본은 조선왕조를 지탱하는 힘의 원천이 무엇인지 몹시 궁금해 했다. 일본에서는 이 전쟁을 도발한 도요토미 히데요시豊臣秀吉 정권이 무너지고 도쿠가와 이에야스德川家康 정권이 들어 섰고 중국에서도 무리한 군사 동원과 과도한 재정 지출 등으로 국력이 쇠약해진 명나라가 망하고 그 자리를 청나라가 차지했는데 정작 가장 많은 인적, 물적 피해를 입은 조선은 왕조가 그대로 유지되고 있었기 때문이다.

그래서 시작한 조선연구는 전쟁의 패인을 다각도로 분석하고 더불어 향후 수행할 전쟁에서의 군사전략을 세우는 데 필요한 다양한 정보를 수집하는 것을 목표로 하였다. 그 결과 전쟁의 패인을 '조선을 너무 몰랐기 때문'이라고 단정한 그들은 전쟁 중에 노획, 약탈하여 일본으로 반출한 조선의 서적과 실록 등을 통해 조선을 알고자 하였는데 개중에 『동국통감』이라는 역사책도 있었다.

『동국통감』은 단군조선에서 고려 말까지의 역사를 편년체 형식으로 기록한 사서이다. 세조 9년(1463)에 서거정徐居正 등이 왕명을 받아 편찬을 시작하여 성종(재위 1469~1495) 16년(1485)에 완성했으며 총 56권 28책으로 구성되어 있다. 고조선의 건국연대를 서기전 2333년으로 기록하여 단군기원을 최초로 밝힌 책이기도 하다.

조일전쟁때까지만 해도 조선에는 고조선-고구려-신라-발해-고려로 이어져 내려온 선배-조의선인-화랑정신이 남아 있었다. 『구당서』「고(구)려조」에서 서술한 고구려 선배들의 역할을 조선에서는 선비가 대신했던 것이다.

> 선배제도의 조의선인은 학문에 힘쓰며 수박과 활쏘기 등의 기예를 익히고 원근 산수를 탐험하며 시가와 음악을 익히고 공동으로 일처에 숙식했다. 평시에는 환난 구제를 자임했고 전시에는 전장에 나가 목숨을 걸고 일신을 희생했다.

선배를 이두문자로 선인先人이라 썼으며 검은 옷을 입어서 '조의선인皁衣先人'이라 불렀다. 신라의 화랑도, 고구려의 선배제도를 모방해서 만든 것인데 고구려의 선배가 검은 옷을 입어 조의선인이라 부른 것처럼 신라의 선배는 꽃으로 장식하여 화랑이라 불렀다.

조일전쟁때 나라를 위해 분연히 일어선 의병들과 그 지도자들 대부분은 선비들이었다. 일본은 조선의 선비들이 책이나 읽고 공맹孔孟이나 읊조리는 백면서생인줄 알았다가 그들의 활약에 혼줄이 났다. 웬만한 장수들보다 지략이 뛰어났고 용맹했던 것이다. 그들은 총칼로 무장한 것이 아니라 고조선-고구려-신라-발해-고려-조선으로 이어져온 역사의식의 원형

고조선의 건국 연대를 기원전 2333년으로 기록하여 단군기원을 최초로 밝힌 『동국통감』(좌)과 일본에서 간행된 『신동국통감』(우)

과 선배-조의선인-화랑정신과 같은 민족의 얼과 혼으로 무장했다는 것을 일본은 『동국통감』을 통해 나중에서야 알게 되었다. 일본으로 건너간 『동국통감』은 에도시대(1667년)에 『신동국통감』이라는 이름으로 판목이 간행되었으며 일본에서 조선을 연구하는 교과서로 사용되었다.

메이지明治 유신(1868년) 이후 일본에서는 조선을 정복해야 한다는 이른바 정한론이 대두되었다. 서세동점이 동북아시아로 확산되자 위기감을 느낀 일본은 조선을 매개로 국면전환을 시도하려 했다. 조선의 독립과 동양평화를 명분으로 중국, 러시아와의 일전도 불사한 것이다. 결과는 근대화와 제국주의화를 거의 동시에 이룬 일본의 승리였다. 조일전쟁의 실패를 반면교사 삼아 수집한 조선에서의 정보가 청일전쟁과 러일전쟁을 승리로 이끌었다. 이를 위해 육군참모본부는 '조선국사편찬부'를 만들어 젊은 장교들에게 조선말과 조선역사를 가르쳤다고 하는데 이것이 주효했던 것이다.

1883년 내각총리가 된 이토 히로부미伊藤博文는 각 대학을 제국대학으로 개편하고 제국대학 안에 사학과를 신설하여 그 동안 육군참모본부에서 수집한 자료를 모두 대학으로 옮기도록 했다. 그 자료 중에는 당연히 『동국통감』도 있었을 것이다. 이병도와 신석호의 스승인 이마니시 류는 이 자료를 바탕으로 일본 최초로 조선사를 전공하여 박사학위를 취득했다. 이후 그의 학위는 조선침략으로 일본 제국이 팽창하고 이를 역사적으로 합리화하는데 유용하게 쓰였다. 일제 식민주의 사관이 그의 학위에서 나왔다는 말이 있을 정도였다.

일본의 조선 식민지배가 점점 현실화되고 이를 합리화하기 위해 이마니시 류 등 일본 역사가들이 우리나라 역사를 왜곡하여 무설을 퍼트리자 신채호는 급히 붓을 들어 「독사신론讀史新論」을 썼다. 제목 그대로 '역사를 읽는 새로운 사론'이었다. 그리고 이 논문을《대한매일신보》에 1908년 8월 27일부터 12월 31일까지 50여 차례에 걸쳐 연재하여 국민들에게 우리 민족의 정통성과 자부심을 일깨우고자 하였다. 그는 서문에서 그런 자신의 책임을 이렇게 밝혔다.

> 국가의 역사는 민족의 소장성쇠消長盛衰의 상태를 가려서 기록한 것이다. 민족을 버리면 역사가 없을 것이며, 역사를 버리면 민족의 그 국가에 대한 관념이 크지 않을 것이니, 아아, 역사가의 책임이 그 또한 무거운 것이다.

그는 나중(1921년)에 「독사신론」의 집필동기를 밝히면서 "16년 전에 국치(을사늑약)에 발분하여 비로소 『동국통감』을 열독하면서 사평체에 가까운 「독사신론」을 지었다."고 술회했다.

이 논문에서 신채호는 우리 고대사에 크게 주목하였다. 기자, 위만으로 이어지는 기존의 고대사 인식 체계를 부정하고 고대사의 주 종족을 단군, 부여, 고구려로 새롭게 설정하였다. 특히 '부여족'을 한국 고대의 주 종족, 중심 세력으로 서술하였는데 이는 부여와 고구려가 한국 역사상 가장 강력한 국가를 이루었다고 판단했기 때문이었다. 이러한 역사 인식에 따라 신채호는 기자조선에서 마한 또는 삼한으로 정통성이 계승된 것으로 보았던 전통 사학의 역사 인식, 서술 체계를 부정하였다. 또 기존에 긍정적으로 평가했던 삼국 통일을 비판적으로 인식하여 통일의 주역이었던 김유신과 김춘추金春秋의 공죄를 논하였다. 그리고 삼국 통일의 역사적 의의를 높이 평가하며 한국사의 영역을 한반도로 제한, 축소시킨 김부식의 역사관에 대해서도 통렬히 비판했다.

일찍이 『신채호의 사회사상연구』를 이끌었던 서울대 신용하 교수는 "「독사신론」은 종래의 구사舊史와는 전혀 다른 최초의 '신역사'였다"며 "우리나라의 근대민족주의 국사학의 체계화는 「독사신론」에서부터 시작된다고 말할 수 있다"고 주장하였다.

> 역사를 국권회복을 위한 애국심 배양의 첫째가는 부문이라고 보는 신채호의 역사민족주의와 역사는 민중의 애국심과 민지를 계발하는 학문이 되어야 한다는 신채호의 애국계몽사학의 관점에서 보면 민족의 기원과 진화 과정을 당당하게 밝히는 '신역사'를 쓰는 것이 국권회복과 민족의 영구한 발전을 위하여 가장 긴급하고 중요하며 절박한 과제로 인식된 것이었다.
>
> 신채호는 스스로 이 과제를 수행하는 것을 자기의 사명으로 삼았다. 그는 자기의 근대 시민적 민족주의 애국계몽사상에 의거하여 '신역사'를 쓰려고

하였다. 이렇게 해서 그 화급한 요청에 응하여 쓰여진 것이 「독사신론」인 것이다.

신용하는 「독사신론」이 화급한 요청에 응하여 쓰여졌다고 했다. 일본의 무설誣說에 대응해야 할 언론인의 사명에 시대의 요청이 화급을 판단하는 기준이 되었겠지만 한편으로 신채호에게 이런 글을 쓰도록 독려한 사람이 있었다면 그는 언론계 선배인 박은식朴殷植이었을 것이다. 신채호를 《대한매일신보》 주필로 초빙한 사람이 그였기 때문이다. 두 사람은 《황성신문》과 《대한매일신보》에서 번갈아 붓을 잡으며 우국의 논설을 쓰고 역사 지식을 보급하여 애국사상을 고취하기 위해 노력했던 대표적인 논객이었다. 나이는 스무살 이상 차이가 났지만 역사를 통해 민족의 정신을 일깨우겠다는 신념과 열정에는 조금도 차이가 없었다. 그렇기 때문에 당시 29살

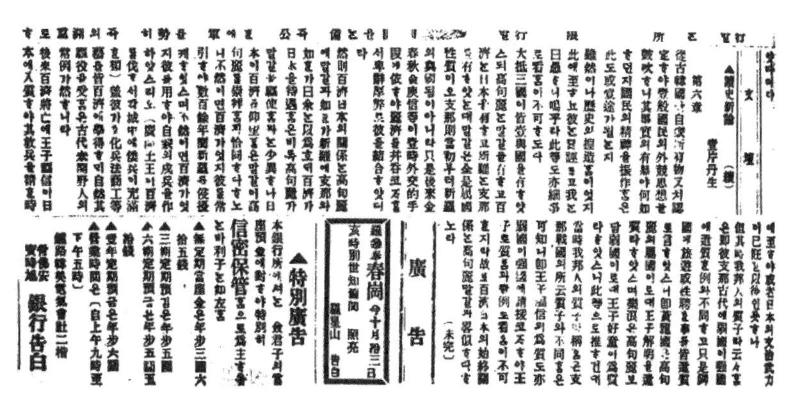

신채호가 《대한매일신보》에 연재한 「독사신론」. 壹片丹生은 단재의 별호이다. 이 글에서 신채호는 "자신의 나라를 사랑하려거든 역사를 읽을 것이며 다른 사람에게 나라를 사랑하게 하려거든 역사를 읽게 할 것이다"라고 썼다.

의 신채호에게 애국계몽사학에 입각하여 고대사에 대한 새로운 인식 체계를 심어줄 수 있었던 것이 다. 두 사람의 인생역정은 이후에도 계속 같은 길을 걸어 갔다.

일본의 조선 식민지배가 확실해지자 신채호는 1910년 4월에 중국으로 망명했고 이듬해 4월엔 박은식도 중국으로 떠났다. 두 사람은 같은 시기는 아니지만 윤세복尹世復이 옛 고구려의 수도인 환인현에 설립한 동창학교에서 역사를 가르치며 다양한 역사논고를 썼다. 그 결과로 박은식은 1915년『한국통사韓國痛史』를 중국 상해에서 출간했다. 책 제목 그대로 한국의 아픈 역사에 대한 통찰이었다.

> 옛 사람이 이르기를 나라는 멸할 수 있으나 역사는 멸할 수 없다고 하였다. 나라는 형체이고 역사는 정신이다. 이제 한국의 형체는 허물어졌으나 정신을 홀로 보전할 수 없겠는가? 이것이 통사痛史를 짓는 까닭이다. 정신이 보존되어 멸하지 아니하면 형체는 부활할 때가 있을 것이다.

『한국통사』는 고종 즉위부터 1911년 105인 사건(신민회 탄압사건)까지를 대상으로 일본의 침략에 의한 망국의 과정을 서술한 책이다. 박은식은 이 책을 통해 일본의 잔학성을 폭로하고 국민들에게 그 아픔을 주지시켜 민족의식을 갖게 하려 했다.

그는 민족의식을 국혼國魂이라고 하였는데 국혼은 국교國教, 국학國學, 국어國語, 국문國文, 국사國史 속에서 유지된다고 하였다. 그러므로 국혼만 유지된다면 언제고 반드시 이를 통해 나라를 되찾을 수 있다고 생각하였다.

이렇게 강렬한 민족의식을 바탕으로 쓴 책인 만큼 민족 고난에 대한 반성과 독립운동 의지도 뚜렷이 나타나 있다. 이 책은 당시 해외 동포 사회는 물론 국내에도 널리 보급되어 독립의지를 고양시켰다.

그러자 조선총독부는 이 책의 국내 유입에 대응하여 '조선반도사' 편찬이라는 식민사관에 입각한 역사 편찬사업을 개시하였다. 1915년 7월에 시작된 이 사업은 조선총독부의 통치 기조인 동화를 합리화하고 식민지화의 원인을 조선의 역사에서 찾으며 식민통치를 문명개화로 미화하기 위한 사업이었다. 이 사업에 이마니시 류를 비롯한 일본 학계의 조선 전문가들이 편찬위원으로 대거 참여했다.

이들은 일본과 밀접한 관계가 인정되는 남부 조선을 중심으로 조선의 역사를 재편하면서 단군이나 고구려로 대변되는 북방의 역사를 조선사에서 배제하였다. 조선사의 강역을 북방 대륙을 배제하고 반도 영토로만 축소한 것이다. 동화에 대해서는 종족적으로는 동일하지만 민족적으로는 구별되므로 차별이 없을 수 없다고 결론지었고 외세에 의한 혼란과 지나친 사대주의로 인해 조선은 망할 수밖에 없었다는 점을 강조하였다. 1916년 조선총독부가 발표한 『조선반도사』 편찬요지를 보면 『한국통사』에 대응하기 위해 이 책을 편찬했음을 알 수 있다.

조선인은 다른 식민지에 있어서 문명화되지 못한 야만족과 달라 책을 읽고 글을 쓸 줄 알고 있어서 문명인에 떨어지는 바가 없다. 옛날부터 역사서가 존재하는 바가 많고 또 새로 역사서를 저술하는 바가 적지 않으나 전자는 독립시대의 저술로서 현대와의 관계를 결하여 다만 독립국의 오랜 꿈을 생각하게 하는 폐단이 있으며 후자는 근대 조선에 있어서의 일본과 청나라, 일본과 러시아의 세력경쟁을 서술하여 조선의 향배를 말하고 혹은『한국통사』라고 하는 재외 조선인의 저서와 같은 것은 사건의 진상을 살피지 아니하고 망설을 함부로 한다. 이것이『조선반도사』의 편찬을 필요로 하는 주된 이유이다.

그러나 이 사업은 3·1 운동의 결과로 중단되었다. 3·1 운동은 우리 국민들에게 민족의식을 일깨우는 중요한 계기였지만 일본 또한 한국인의 민족적 정체성을 확인하는 계기가 되었다. 조선총독부 관료나 일본의 역사학자들도 더 이상 한국과 일본의 동족을 강조하거나 한국의 역사를 폄하하는 것이 한국에 대한 통치정책이 될 수 없다는 것을 3·1운동을 통해 확인하게 된 것이다.

이후 조선총독부의 역사 편찬사업은 '조선사편찬위원회'가 구성되고 곧이어 조직이 '조선사편수회'로 개편되면서 『조선사』 편찬이 공식화 되었다. 이 '조선사편수회'가 일본의 식민지배를 합리화하고 우리나라 역사를 말살하기 위해 우리 역사 상당부분을 은폐, 조작, 축소, 왜곡시킨 내용은 이미 주지하고 있는 사실이다. 그런 식으로 그들이 편찬한 『조선사』는 1938년 37책으로 간행되어 보급되었다.

문제는 해방 이후 국사편찬위원회가 조선사편수회의 유산을 그대로 이어 받았다는 점이다. 1946년 3월 미 군정청령으로 발족한 '국사편찬위원회'의 전신인 '국사관'은 '조선사편수회'가 소장하고 있던 사료를 접수하였는데 이 사료가 우리 역사를 연구하는데 있어 가장 빠르고 유용한 수

단이라는 이유를 들어 식민주의 역사학을 그대로 수용하였던 것이다. '조선사편수회'에 참여했던 한국 역사학자들이 일본 사료에 가장 정통한 학자라는 이유로 국사편찬위원으로 참여했기 때문이다. 예컨대 이병도는 1955년부터 1982년까지 27년 동안, 그리고 '국사편찬위원회' 설립을 주도했던 신석호는 1949년부터 1965년까지 16년 동안 국사편찬위원을 역임했다.

그러나 이들은 식민사학이 아닌 독일의 역사학자 랑케Lanke가 역사 서술의 한 방편으로 제시한 실증사학을 근간으로 우리나라 국사를 편찬하였다고 주장하였다. 실증사학은 역사 기술 과정에서 특정한 사건이나 가치를 판단할 때 유적과 유물을 그 판단 근거로 삼아 '있었던 그대로의 과거'를 규명해 내는 것이 역사학자의 사명이라고 믿는 학풍이다. 이를 위해 객관적이고 엄정한 연구 자세를 강조하였는데 이들은 이러한 연구 자세를 빌미로 박은식, 신채호 같은 민족사학자의 사관을 처음부터 배제시켰다. 일본에서 실증사학을 공부한 이기백李基白은,

민족주의 사학에서 민족을 중요시하는 전통은 일제 식민통치하에 망명생활 속에서 민족의 독립을 되찾으려는 역사가들이 민족정신을 강조하는 형태로 표현되었다. 이 이론은 한국사의 흐름 전체에 적용하는 이해 방법이 정당화될 수 없다. 민족적인 감정에 의한 경우 역사논리의 비약이 과격하게 노출되기 마련이며 이것은 한국사학의 발전을 도모할 수 없기 때문에 오로지 역사에서 객관적 사실만이 한국 사학의 올바른 발전을 가져올 수 있다.

라고 주장하며 민족주의 사학을 국사에서 배제시킨 것을 정당화했다.

그러나 이기백의 이런 논리는 리지린과 윤내현의 『고조선 연구』로 힘을 잃었다. 박은식과 신채호의 사관이 나라의 독립을 위한 민족정신만 강조한 것이 아니라 '있었던 그대로의 과거'였음을 문헌고증과 고고학적 성과로 규명했기 때문이다. 민족은 국가의 정체성과 가치관의 원천이기 때문에 역사의 주체는 당연히 민족일 수밖에 없다. 그러므로 역사는 그 국가의 민족이 걸어온 긴 여정을 통해 이룩한 문화와 문명 그리고 그 민족이 구성한 국가를 과학적이고 사실적으로 서술하는 것이다. 신채호의 주장처럼 민족을 버리면 역사가 없기 때문이다.

아! 고구려…

한국은 일본과 중국, 그리고 이들과 크게 다르지 않은 역사의식을 가지고 있는 일부 주류 역사학자들과 역사전쟁 중이다. 우리나라 역사를 끊임없이 은폐, 조작, 왜곡, 축소시켜온 일제의 식민주의 역사관과 이에 편승한 중국의 중화 패권주의 역사관에 맞서 우리의 역사를 바로 세우고 동북아시아에서의 힘의 균형을 유지하기 위해 역사의 진실과 싸우고 있다. 벌써 100년 동안 벌이고 있는, 참 지난한 싸움이다.

2017년 4월 7일, 중국 시진핑習近平 주석은 미국에서 열린 미·중정상회담에서 "한국은 중국의 일부였다"고 견강부회하는 발언을 했다. 한반도 문제에 개입할 수밖에 없는 동북아시아에서의 자신들의 위치와 영향력을 과시하기 위해서였다. 도널드 트럼프 미국 대통령은 이와 같은 시진핑의 발언을 나중에 공개하여 한·중 간의 역사갈등을 부추기는 듯한 태도를 보였고 중국 당국자는 "한국 국민은 걱정할 필요가 없다"며 발언의 진위는 얼버무리고 오히려 미국의 이간질 전략을 경계해야 한다는 식으로 여론을 호도했다.

1963년 6월 28일, 중국의 저우언라이 총리는 북한사회과학원 대표단

周恩来总理谈中朝关系

（摘自《外事工作通报》1963年第10期）

——1963年6月28日，周恩来总理接见朝鲜科学院代表团时，谈中朝关系——

「저우언라이 총리 중국 조선관계 대화」

을 접견하는 자리에서 "반드시 역사의 진실성을 회복해야 한다."며 "역사를 왜곡할 수는 없다. 도문강, 압록강 서쪽은 역사 이래 중국땅이었다거나 심지어 고대부터 조선은 중국의 속국이었다고 말하는 것은 황당한 이야기다" 라는 발언을 했다. 그러면서 그는 "이것은 중국 역사학자나 많은 사람들이 대국주의, 대국쇼비니즘의 관점에서 역사를 서술한 것이 주요 원인"이라는 말도 덧붙였다.

오래된 역사의 진실을 두고 중국 정치지도자 간의 인식은 이처럼 다르다. 역사인식이 곧 그 시대의 정신이자 정치철학이었기 때문이다.

세월의 간극은 50여 년에 불과한데 무엇이 두 사람의 역사인식을 정반대로 바꿔놓은 것일까? 먼저 저우언라이의 발언부터 살펴 보자.

지난 2004년 8월 중국 베이징대학교 아태연구원 객좌연구원으로 유학 중이었던 설훈薛勳 민주당 의원은 1963년 6월 저우언라이 당시 중국 총리가 북한사회과학원 대표단을 만난 자리에서 발언한 내용을 정리한 「저우언라이 총리 중국 조선관계 대화」라는 문건을 입수하여 공개했다.

당시 언론에서는 "이 문건은 중국의 최고지도자가 공식적 자리에서 발언했다는 점이나 그 내용이 최근 중국 정부가 추진 중인 '동북공정'의 내용과 정면으로 배치된다는 점에서 고구려와 동북지방의 역사를 둘러싼 한·중 사이의 논쟁을 해소하는 데 중대한 근거가 될 수 있을 것으로 보인다." 라고 말하며 기대감을 나타냈지만 중국 당국은 무반응과 무대응으로 일관했다. 그의 대화상대가 북한이었던 만큼 혈맹관계를 강조한 외교적 수사 차원이었을 것이라고 단정하는 듯한 태도였다.

그러나 저우언라이가 북한사회과학원 대표단을 만난 자리는 결코 가벼운 자리가 아니었다. '조중합동고고학발굴대' 라는 학술조사단 구성을 허락하면서 마련한 자리였지만 더 중요한 것은 영토분쟁을 비롯한 양국간의 역사적 쟁점을 명확하게 규정하는 자리였기 때문이다. '조중합동고고학발굴대'란 중국 동북지방에서 고구려와 발해 유적을 조사하고 발굴하여 고조선의 기원을 밝히기 위한 고고학 조사단을 일컫는다. 북한사회과학원은 리지린을 중국에 유학시켜『고조선 연구』로 박사학위를 받게 하고 고고학적 성과로 이를 뒷받침하기 위해 중국 당국에 '조중합동고고학발굴대' 구성을 끈질기게 요구했었다.

> 두 나라 역사학의 일부 기록은 진실에 그다지 부합되지 않는다. 이것은 중국역사학자나 많은 사람들이 대국주의, 대국쇼비니즘의 관점에서 역사를 서술한 것이 주요 원인이다. 그리하여 많은 문제들이 불공정하게 쓰여졌다. 먼저 양국 민족의 발전에 대한 과거 중국 일부 학자들의 관점은 그다지 정확한 것은 아니었고 그다지 실제에 부합하지 않았다.

저우언라이는 중국 역사서들이 중화 대국주의, 대국쇼비니즘 관점에서 역사를 서술했기 때문에 진실과 실제에 부합하지 않는다는 점을 인정하고 이를 바로 잡기 위한 고고학적 성과를 강조했다.

민족의 역사발전을 연구하는 가장 좋은 방법은 출토된 문물에서 증거를 찾는 것이다. 이것이 가장 과학적인 방법이다. 서적상의 기록은 완전히 믿을 만한 것이 되지 못한다. 왜냐하면 어떤 것은 당시 사람이 쓴 것이지만 관점이 틀렸기 때문이다. 또 어떤 것은 후대 사람이 위조한 것이기 때문에 더욱 믿을 수가 없다. 그래서 역사서는 완전히 믿을 수만은 없는 2차 자료일 뿐이다.

중국과 역사전쟁을 벌이고 있는 현재 상황에서 보면 그의 발언은 중국 지도자 입에서 나온 말이라고 믿겨지지 않을 정도로 솔직하고 파격적이어서 한국의 일부 주류 역사학자들보다 더 균형잡힌 역사의식을 가지고 있지 않나 하는 생각이 들 정도이다. 아무리 북한과의 혈맹관계가 중요하고 북한의 요구를 거절하기 어려웠다 하더라도 양국이 전개해온 역사적 이해관계를 고려했을 때 중국 땅에 있는 유적과 유물을 북한 학자들과 공동으로 발굴하는 것을 허락했다는 것은 마오쩌둥毛澤東과 더불어 중국 건국의 아버지로 추앙받고 있는 저우언라이였으므로 가능했을 것이다. 또 그가 가지고 있는 확고한 역사인식이 합리성과 과학성을 담보하고 있었기에 가능하지 않았나 생각된다.

조선민족은 조선반도와 동북대륙에 진출한 이후 오랫동안 거기서 살아왔다. 요하, 송화강 유역에는 모두 조선민족의 발자취가 남아 있다. 이것은 요하와 송화강 유역, 도문강 유역에서 발굴된 문물, 비문 등에서 증명되고 있으며 수많은 조선문헌에도 그 흔적이 남아 있다. 조선족이 거기서 오랫동

> 안 살아왔다는 것은 모두 증명할 수가 있다. 경백호 부근은 발해의 유적이 남아 있고, 또한 발해의 수도였다. 여기서 출토된 문물이 증명하는 것은 거기도 역시 조선족의 한 지파支派였다는 사실이다. 이 나라는 역사적으로 상당히 오랫동안 존재했다. 따라서 조선족이 조선반도에서 살았을 뿐만 아니라 동시에 요하, 송화강 유역에서도 오랫동안 살았다는 것이 증명된다.

저우언라이가 언급한 요하와 송화강 유역은 고조선-고구려-발해-고려로 이어져온 우리 역사에 있어 가장 역동적인 무대였다. 고려시대 때에는 서북-압록(요하), 동북-선춘령(송화강)으로 이어지는 고려의 국경, 즉 북계이기도 했다. 저우언라이를 면담한 후 17명으로 구성된 북한의 고고학자들은 중국학자들과 공동으로 팀을 꾸렸다. 한 팀은 고조선의 역사를 밝히기 위해 랴오닝성과 내몽고 동남부 지역의 비파형동검 관련유적을 조사했고 다른 한 팀은 길림성과 흑룡강성의 발해유적을 조사했다. 그러나 이 학술조사사업은 1963년 8월부터 1965년 8월까지 2년 동안만 진행되었다. 1966년에 시작된 중국의 문화대혁명으로 중국에서의 모든 사업이 중단되었기 때문이다.

북한은 이 사업을 통해 발굴된 유적과 유물들을 모아 1966년에 『중국 동북지방의 유적발굴보고』라는 보고서를 발간했다. 리지린의 『고조선 연구』와 더불어 '고조선 요동설'을 고고학적 고증으로 확정짓는 보고서였다. 이 보고서는 일본어로도 발간되었는데 일본 고고학계에 큰 반향을 불러일으켰다. 한국에서는 1995년에 같은 제목으로 영인본이 발간되었다. 중국은 무려 30년 동안 침묵하다 1997년에서야 이 사업의 보고서를 냈다.

북한 보고서에는 누가 발굴하고 누가 집필했는지 적혀 있지 않았고 중국 보고서에는 북한과 같이 발굴하였다는 내용이 전혀 언급되지 않았다.

1992년 8월 한국과 중국이 정식으로 수교하여 양국의 국경이 열리자 한국에서도 중국 동북지방의 고구려, 발해 유적에 대한 관심이 고조되었다. 이러한 분위기 속에서 1993년 8월 한국의 '해외한민족연구소'와 중국 '옌볜대학교 조선사연구회'가 공동 개최하고 한국, 북한, 중국, 일본, 대만, 홍콩 학자들이 대거 참석한 '고구려문화국제학술회'가 중국 지린성 지안시에서 개최되었다. 수교를 기념하여 열린 한·중간의 첫 번째 문화교류 행사였다.

지안시는 고국원왕(재위 331~371)이 천도한 고구려의 여섯 번째 도읍이다. 『삼국사기』에는 황성으로 기록되어 있다. 장수왕이 평양성(요양)으로 천도하기 전까지 96년 동안 고구려의 수도였기에 고국원왕, 소수림왕, 고국양왕, 광개토대왕, 장수왕이 이곳에서 재위했고 정복군주로서의 삶도 여기서 마감했다. 때문에 광개토왕릉을 비롯한 장군총과 무용총 등 고분과 광개토대왕비와 같은 기념비적인 유적들이 많이 남아 있다. 조선시대 지리서 『동국여지승람』에는 조선후기까지도 이 지역이 조선의 영토로 기록되어 있다.

그런데 이 학술대회에서 중국학자들이 '고구려는 당나라의 지방정권'이라고 주장하여 남북한 학자들이 항의하는 작은 소동이 벌어졌다고 한다. 이 소동의 파장은 결코 작지 않았다. '통일적 다민족국가' 이론을 확산하는데 주력하고 있었던 중국학자에게 남북한 학자들이 공동으로 대응하는 모양새를 보여줬기 때문이다. 이날의 소동이 훗날 '동북공정'이라 불리는

역사전쟁의 서막이었다고 학자들은 입을 모은다. 중국은 1980년부터 '통일적 다민족국가론'에 의거하여 고구려 연구를 진행해 왔기 때문에 이미 '당의 지방정권'으로 규정해 놓은 상태였던 것이다.

이 학술회에서는 지금까지 공개되지 않았던 '장천 1호분'과 '오호분 4호묘'를 비롯하여 '무용총' '각저총' '사신총' 등의 유적을 직접 접할 수 있는 기회도 제공했다.

한국의 모언론사가 이 유적들을 취재하여 학술회의 후속행사로 1993년 11월 18일부터 12월 26일까지 38일 동안 〈1500년 전 集安 고분 벽화전- 아! 고구려…〉를 국립현대미술관에서 개최했다. 이 전시회를 무려 400만 명이 관람하여 주최측은 물론 중국 당국을 놀라게 했다.

중국은 마오쩌둥의 사망(1976년)으로 '십년동란'이라 불렸던 '문화대혁명' 시대를 끝내고 덩샤오핑鄧小平이 권력의 전면에 나서서 개혁개방 정책을 추진하면서 '통일적 다민족국가론'에 의거한 하나의 중국을 강조하기 시작했다. 특히 1989년 혁명으로 동구권에서 공산 정권이 붕괴하고 1991년 소비에트 연방인 소련이 해체되자 국경 지방의 소수민족에 대한 관심과 감시가 동시에 증폭되었다.

1992년 한국과 수교한 이후에는 동북3성과 조선족에 대해서도 같은 이유로 관심을 갖지 않을 수 없었는데 일각에서는 한국과 북한의 '우리역사 바로 세우기' 에 위기감을 느낀 중국 정부가 향후 발생할지도 모르는 국경분쟁에 대비하고 동북3성에 살고 있는 조선족을 효과적으로 통제하기 위한 이념적 공작으로써 동북공정을 추진했다고 주장한다.

일견 일리가 있는 주장이다. 중국은 56개 민족으로 구성된 다민족 국가이고 동북3성처럼 독립을 추구할만한 성이 30여 개나 되는데다 티베트와 위구르가 수십 년간의 탄압에도 불구하고 민족독립운동을 지속하고 있어 서남공정, 서북공정과 더불어 동북공정의 필요성이 대두되었던 상황이었다.

또 한편으로는 1990년대 중반부터 탈북자들이 대거 중국으로 넘어오고 북핵문제로 인하여 북한에 정세변화가 초래될 경우 북한지역에 대한 연고권을 비롯한 영향력을 강화하기 위해 동북공정을 추진했다는 주장도 있다. 시진핑이 "한국은 중국의 일부였다"고 주장한 것도 이러한 전략에서 의도적으로 한 발언이었다. 역사적으로 중국은 한반도에서의 정세변화가 자국의 안보에 영향을 미치게 될 경우 자국 방어선을 한반도로 한정하기 위해 한반도의 분할을 획책하며 연고권을 주장해 온 선례가 여러 번 있었다.

조일전쟁 때 평양성을 점령한 일본의 고니시 유키나가는 명나라에서 파견한 심유경沈惟敬에게 대동강 선을 기준으로 한반도를 분할할 것을 제안했다. 강화 조건으로 대동강 이남의 할양을 요구한 것이다. 그러면서 그는 "평양 이북을 명나라에 주지 조선에 주지 않는다"고도 했다. 이러한 일본의 제안에 크게 반박하지 않았던 심유경의 태도가 전해지자 조선 조정은 분노했고 명나라에 거세게 항의했다. 이에 명나라는 조선을 지배할 의사가 없음을 문서로 보증해야 했다.

청일전쟁 직전에는 영국이 나서서 서울 이남은 일본이 점령하고 평양 이북은 청나라가 점령하며 서울과 평양 사이의 공간은 중립지대로 남겨

놓는 이른바 「청일 한반도 공동 점령안」을 내놓기도 했다. 청나라는 이 중재안을 수용했지만 일본은 거부했다. 그 결과는 청일전쟁으로 이어졌고 일본이 승리함으로써 250년 넘게 지속되었던 조선에서의 청나라의 영향력은 그 힘을 잃고 말았다.

또 만주와 한반도를 두고 각축을 벌였던 러시아와 일본은 러일전쟁이 발발하기 전까지 한반도의 분할 구도를 두고 협상을 해왔다. 먼저 일본이 39도 선을 경계로 한반도를 분할할 것을 제안했다. 39도 선은 조일전쟁 당시 일본이 명나라에게 제안한 그 대동강 선이었다. 그러나 러시아는 한반도를 직접 점령할 경우 영국, 미국, 프랑스 등이 반발할 것을 우려하여 표면적으로는 받아들이지 않았지만 모스크바 의정서에 비밀조항을 두어 양국의 군사적 충돌을 예방하는 차원에서 39도 선을 중립 지대로 설정하여 서로의 세력 균형을 꾀하였다.

그러던 중에 러시아가 1900년에 청나라의 의화단 사건을 빌미로 5만 명의 군사를 파병하여 만주를 점령하자 그나마 유지되고 있었던 세력 균형은 깨지기 시작했다. 일본은 마지막 협상카드로 한만韓滿교환을 제의했다. 러시아의 만주에서의 우월권과 일본의 한반도에서의 우월권을 각각 승인하자는 내용이었다. 러시아는 이를 거부했다. 대신 한반도를 39도 선으로 분할하자고 앞서 일본이 제안했던 내용을 들고 나왔다.

이번에는 일본이 거부했다. 일본은 더이상 39도 선에 만족하지 않았다. 러시아와의 전쟁을 불사하고서라도 한반도 전역을 점령할 계획이었다. 러시아와 일본 사이에 전운이 감돌자 조선은 중립국으로 인정받기 위해 안간힘을 썼다. 중립국 선언만이 독립국 지위를 인정받을 수 있는 마지막 보

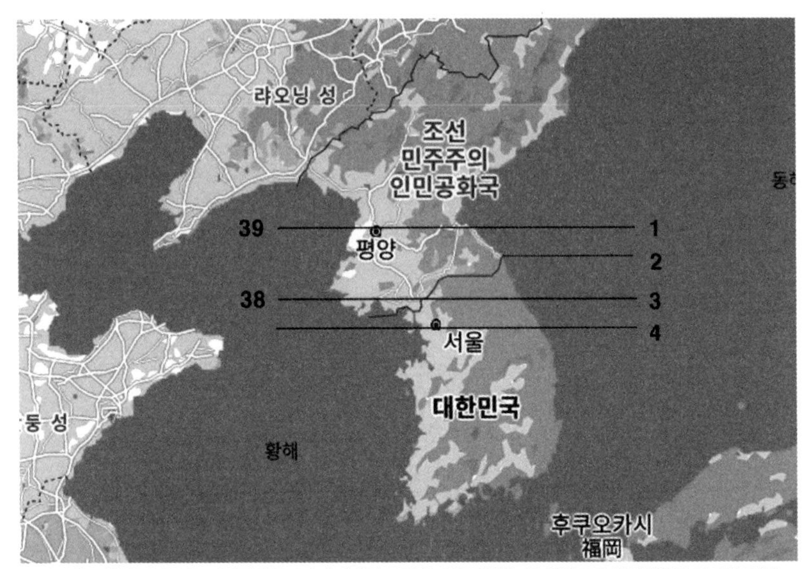

조일전쟁①, 청일전쟁①④, 러일전쟁①, 2차세계대전 종전③, 한국전쟁② 등 한반도의 정세변화를 야기한 일본 등 주변국의 힘의 논리에 따라 한반도는 늘 분할의 대상이 되어야 했다. 끝내 한반도는 휴전선으로 분할되었고 우리의 현대사는 휴전상태의 분단사로 쓰여지고 있다.

루였다. 그러나 1904년 일본군이 서울을 점령함으로써 마지막 노력마저 수포로 돌아갔고 이내 인천 앞바다에서 러일전쟁이 벌어졌다. 이 전쟁에서 일본이 승리함으로써 한반도는 분할되지 않았지만 36년 동안 일본의 식민지배를 받아야 했다.

그 결과로 우리는 100년 동안 중국, 일본과 역사전쟁을 벌이며 역사의 진실인 오래된 미래와 싸우고 있다. 나는 이 싸움을 21세기 북벌이라고 부른다. 그리고 고려시대 때에는 윤관과 윤언이가, 조선시대 때에는 윤휴가 꿈꾸었던 북벌과 북로역정을 21세기 오늘날에는 윤내현의 역사인식에서 찾고자 한다.

21세기 북벌

100년 동안 벌이고 있는 역사전쟁은 '극복과 회복'에 방점이 찍혀 있다. 일제의 식민주의 역사관과 중화 패권주의 역사관은 당연히 극복의 대상이고 우리 조상들이 남긴 광활한 유산과 정신은 회복의 대상이다. 이 두 가지 숙제를 풀어가는데 우선순위가 있다면 영토에 대한 왜곡된 인식을 바로 잡는 것부터 시작해야 한다.

흔히 민족이라 함은 같은 역사를 공유한 집단으로 이해된다. 거기에는 혈연, 언어, 문화로 연결되어 있는 공동체의식이 정신적인 토대를 이루고 있고, 조상 대대로 살아 온 영토가 공간적 토대를 이루고 있다. 그러므로 한민족이 형성될 수 있고 지금도 유지되는 것은 한반도라는 영토에 대한 역사의식이 확고하기 때문이다. 그럼 언제부터 한반도가 한민족의 주축 공간으로 확고하게 인식되기 시작한 것일까?

제2부 「여진족 돌아오다」에서 살펴본 것처럼 명나라를 세운 주원장은 원나라를 내몽골지역으로 몰아내기 위해 산해관에서 압록강에 이르는 요동 지역을 점령하고 국경 개념의 요동변장을 설치하였다. 개중 군정기관인 '요동도사'가 주둔한 동평은 친원세력이 웅거했던 요양동녕으로 원나

라 영토로 편입되었다가 20년 만에 돌려 받은 고려의 땅이었다. 고려 또한 원나라의 간섭에서 벗어나야 했으므로 '요동도사'가 이곳에 주둔하는 것을 용인했다. 그런데 명나라가 100년 만에 겨우 회복한 동북면 영토까지 요동에 귀속시켜야 한다며 철령위를 설치하겠다고 나서자 고려는 발끈했고 이성계와 조민수로 하여금 요동정벌을 감행하게 했다가 '위화도 회군'이라는 군사정변의 역풍을 맞아 몰락했다.

'위화도 회군'은 서북면 영토 수복 포기로 귀결되었으며 이어진 조선의 건국은 동북면 영토 지배의 포기로 이어졌다. 결국 이성계는 만주 전역을 포기한 대가로 명나라로부터 조선 건국을 승인받고 스스로 번국이 되는 길을 선택했다. 그러다 명나라 영락제가 만주 요동에 건주위를 설치하고 이 지역의 영유권을 주장하자 조선 태종은 고려가 공험진을 차지하고 선춘령비를 세웠음을 조사하여 이를 근거로 동국지도를 작성하게 하였고 명나라에 사신을 보내 공험진 이남의 땅은 조선의 관할임을 확인시켰다. 그때까지만 해도 여진족과 만주 요동의 지배권을 두고 명나라와 각축을 벌였던 때라 만주 또한 우리 민족의 주축 공간으로 인식하려는 경향이 강했다. 동국지도에는 안시성과 건안성 등 요동반도가 표시되어 있고 흑룡강과 송화강도 표시되어 있다. 당시의 영토 개념은 흑룡강 연안의 만주와 연해주뿐만 아니라 현재의 요하 동쪽 모두를 포함하고 있었다. 그 땅들이 모두 고려의 영토였기 때문이다.

만주 영토를 포기하고 여진족에 대한 지배권마저 명나라에 빼앗기자 동북면과 서북면에서 오랫동안 살아왔던 고려의 백성들은 물론이고 고구려-발해 유민인 여진족들도 충성심만으로는 더 이상 조선을 국체로 섬길

조선 초기 세조 9년 1463년에 정척, 양성지 등이 제작한 동국지도.

지도의 아래 왼쪽엔 제주도가 오른쪽엔 대마도가 그려져 있다. 이때까지만 해도 대마도를 제주도와 함께 조선의 영토로 인식하고 있었음을 알 수 있다.

수 없게 되었다. 더욱이 그 지역 여진족(만주족)들이 청나라를 건국하고 중원을 차지하면서 그들의 근거지인 만주 일대를 봉금封禁하자 압록강과 두만강을 경계로 한 남쪽 땅 한반도만이 우리 민족의 주축 공간으로 인식되기 시작했다.

다만 만주와 한반도 사이에 양국민의 거주를 금지한 무인지대를 설정해 놓고 이를 국경으로 삼았는데 청나라와 조선 사이에 놓인 섬과 같은 곳이라 하여 간도間島라 불리기도 하였고 조선인들이 정착해 개간한 땅이라는 뜻에서 간도墾島라 불리기도 한 이곳에 조선인들이 대거 거주하여 조선의 영토로 인식된 것이 사실이다. 고구려의 여섯 번째 도읍인 지안도 간도에 속해 있었기에 조선시대 지리서 『동국여지승람』에 조선의 영토로 기록했던 것이다.

간도를 둘러싼 조선과 청나라의 국경분쟁은 18세기 초반에 시작되었다. 조일전쟁이 한창이던 1595년에 '위원의 변'이라고 불리는 인삼사건이 일어나 선조를 곤혹스럽게 했던 것처럼 1710년 압록강 연안에 살던 이만기가 월경하여 인삼을 채취하고 청나라 관리를 살해하는 사건이 발생하여 숙종을 곤혹스럽게 했다. 이 사건을 계기로 청나라에서 국경 재획정 문제를 본격적으로 재기했는데 당시 청나라 황제는 강건성세의 주역인 강희제였다. 오늘날 우리가 알고 있는 중국 영토의 대부분은 그로부터 확장되기 시작하여 그의 손자인 건륭제 때 확정된 것이다.

만주족은 중국에 대해 공헌한 바가 있는데 바로 중국땅을 크게 넓힌 것이다. 왕성한 시기에는 지금의 중국땅보다도 더 컸었다. 만주족 이전, 원나라

> 역시 매우 크게 확장했지만 곧바로 사라졌기 때문에 논외로 치자. 한족이 통치한 시기에는 국토가 이렇게 큰 적이 없었다. 다만 이런 것들은 모두 역사의 흔적이고 지나간 일들이다. 우리가 책임질 일이 아니고 조상들의 몫이다. 그렇지만 당연히 이런 현상은 인정해야만 한다. 이렇게 된 이상 우리는 당신들의 땅을 밀어부쳐 작게 만들고 우리들이 살고 있는 땅이 커진 것에 대해 조상을 대신해서 당신들에게 사과해야 한다.

위의 내용은 앞서 소개한 「저우언라이 총리 중국 조선관계 대화」라는 문건에 수록된 그 유명한 영토 사과발언이다. 저우언라이는 북한사회과학원 대표단을 만나기 한 해 전인 1962년 10월 12일 평양에서 '조중국경조약(번계조약)'을 체결하고 김일성과 함께 이 조약에 서명했다. 당시 중국은 사회주의 노선을 두고 소련과 극심하게 분쟁을 겪고 있던 터라 국경 지대마다 군병력을 배치하는 등 긴장감이 고조되고 있었다. 이러한 상황 속에서 주변국과 또 다른 분쟁을 야기할 수 있었던 것이 북한과의 국경문제였는데 이를 원만하게 해결한 것에 대한 고마움을 북한사회과학원 대표단을 만난 자리에서 표명한 것이 아닌가 생각된다.

1712년 청나라는 국경조사 계획을 조선에 통보하고 길림성 오랄 총관 목극등穆克登을 차사로 파견했다. 조선에서는 박권朴權을 접반사로 임명하여 함경도 관찰사 이선부李善溥와 함께 국경조사에 임하게 했다. 조선과 청나라는 서로의 국경에 대해 이미 한 차례 합의한 적이 있었다. 정묘호란 후에 체결한 강화조약에 국경에 대한 최초의 합의문이 들어 있었던 것이다. 양국은 각자 기존의 영토를 고수한다는 내용과 함께 압록강과 두만강을 경계로 한다고 명시하였다. 때문에 조선의 입장은 오래 전부터 압록강, 두만강을 경계로 삼았으므로 두 강의 남쪽이 조선 영토라는 사실을 청나라에게 주지시키는 데 있었다.

목극등은 백두산 일대의 실지 답사를 통해 압록강과 두만강의 수원水源을 확정하여 양국의 국경을 정하고자 했다. 이에 조선 대표는 백두산 산세의 험준함을 이유로 극구 말렸다. 그러자 목극등은 오히려 박권과 이선부가 나이가 들어 험준한 산행을 할 수 없을 것이라며 조선 대표의 동행을 거부했다. 조선 대표를 배제시킨 상태에서 목극등은 백두산을 답사했고 두 강의 발언지라 여긴 지점에 정계비를 세워 그 비문에 '서쪽으로는 압록강, 동쪽으로는 토문강西爲鴨綠 東爲土門'을 경계로 삼는다고 새겼다. 이로써 정묘년 호란 이후 85년 만에 조선과 청나라의 국경은 압록강과 토문강으로 재획정되었다.

그러나 백두산 정계비를 설치하는 과정은 더 큰 분쟁을 유발시켰다. 양국의 국경을 획정하는 자리였음에도 조선 대표가 배제되어 형평성을 잃었다는 절차상의 문제와 더불어 조선 대표가 불참함에 따라 토문강이 두만강의 수원인지 여부를 확정짓지 못한 상태에서 경계를 획정했기 때문이다. 목극등은 두만강의 수원을 토문강으로 파악했으나 실제 토문강은 두만강이 아닌 송화강으로 흘러들어가는 강이었던 것이다.

결과적으로 조선과 청나라는 압록강과 송화강을 국경선으로 확정지은 셈이었다. 송화강이 국경이 되면 간도가 조선 영토가 됨은 물론이고 송화강 동쪽, 즉 동만주 전역이 조선영토가 된다. 반면 두만강이 국경선이 되면 간도는 청나라의 영토가 된다. 이는 19세기 후반부터 조선과 청나라가 간

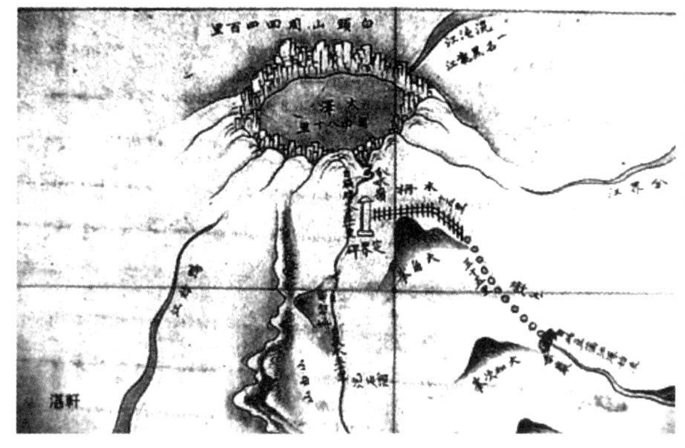

북관장파지도 北關長坡地圖 백두산 부분. 1880년대, 국립중앙도서관 소장.
백두산 천지 인근에 설치된 백두산 정계비와 목책, 그리고 천지에서 발원하는 3개의 강이 그려져 있다.

1929년 일본 사진집 『국경』에 실려 있는 백두산 정계비 모습이다. 일제는 1931년 만주사변이 일어나기 직전에 이 비를 철거했다.

도를 둘러싸고 벌인 영토 분쟁에서 핵심 논점이 되었다. 여기에 만주와 한반도를 두고 각축을 벌였던 러시아와 일본이 관여하면서 간도가 영토 분쟁의 뜨거운 감자로 급부상하였다.

청일전쟁의 결과로 조선에서의 청나라의 영향력이 약해지자 조선은 간도정책을 크게 강화할 수 있었다. 이때부터 1905년 을사늑약이 체결되기까지 10여 년 동안 조선은 그 어느 때보다도 간도에 대한 영토주권을 강하게 행사했다. 1902년 이범윤李範允을 북변 간도 관리사로 파견하여 호구

조사, 포병 양성, 조세 징수 등을 실시했고 간도를 함경도의 행정 구역으로 편입시켜 군면제를 정리했다. 간도는 명실상부하게 조선, 대한제국의 영토가 된 것이다.

하지만 그 기간은 오래 지속되지 않았다. 일본의 대륙 진출정책과 러시아의 남진정책이 만주에서 자주 충돌하고 조선 분할을 명분으로 벌인 러일전쟁에서 일본이 승리함으로써 남만주 일대의 지배권은 일본으로 넘어갔다. 1907년 통감부는 간도 용정촌에 통감부 파출소를 설치하고 간도는 조선영토라고 선언했다. 일본이 간도를 조선영토로 인정한 것은 간도를 거점으로 만주로 진출을 확대하기 위해서였다.

그러나 1909년 9월 일본은 돌연 태도를 바꾸어 간도를 청나라에게 양도했다. 간도를 청나라에게 넘겨주는 대신 만주 일대의 철도 부설권과 푸순 일대의 탄광 채굴권을 받는 조건으로 '간도협약'을 체결한 것이다. 당장의 간도 지배보다 만주 전역을 진출할 수 있는 교두보를 확보하여 대륙 침략의 발판을 마련하기 위한 전략이었다.

사실 일본과 청나라가 체결한 '간도협약'은 두 가지 측면에서 국제법상 무효로 간주된다. 첫째는 을사늑약 자체가 무효이기 때문에 그를 토대로 체결한 '간도협약'도 무효일 수밖에 없는 것이고 둘째로 1945년 일본의 무조건 항복으로 일본 제국주의 시대에 체결된 조약은 모두 무효가 되었기 때문에 '간도협약'도 무효일 수밖에 없는 것이다.

그런데도 북한은 1962년 중국과 '조중 국경조약'을 체결하면서 간도 영유권을 포기했다. 국경조약 체결 당시 중국은 일본과의 '간도협약' 때 설정했던 두만강 서두수를 경계로 제시했고 북한은 두만강 최상류인 홍토수를 경계로 제시했다. 국경조약에서는 북한의 주장대로 홍토수를 경계로 중국과 국경조약이 맺어졌다. 현재 북한과 중국의 국경은 홍토수로부터 직선으로 그어지면서 백두산 천지를 가르고 있다. 천지 주변의 16개 봉우리 가운데 7개 봉우리는 북한 영토로, 9개 봉우리는 중국영토로 나뉜 것이다. 그러므로 현재 우리나라의 영토는 조선왕조 그리고 대한제국의 영토보다도 축소된 것이다.

북한과 중국은 1964년 3월 20일 베이징에서 박성철과 천이가 '조중 국경에 관한 의정서'에 서명해 국경을 확정지었다. 이 자리에서 마오쩌둥은 북한 대표단에게 "원래 당신들 땅은 요하의 동쪽까지인데 중국의 과거 봉건주의가 당신들의 선조를 압록강변까지 내몰았다" 라는 말을 남겼다고 한다. 고려의 영토인 요동을 명나라가 요동변장을 설치하여 빼앗고 중원을 차지한 청나라가 이를 계승하여 국경을 획정지은 것을 언급한 것이다. 그래서 오늘날 중국과의 국경이 압록강이 되었다는 말을 덧붙이고 싶었을 것이다.

1992년 8월 한중 수교 이후 간도는 다시 한민족의 주목을 끌었다. 연변조선족 자치구라 불리는 간도에 한국의 진출이 활발해지고 중국 동포와 한국인의 유대감이 높아지자 간도가 고구려와 발해의 활동 무대였음을 재인식하게 되었던 것이다. 이러한 분위기는 북한과 체결한 국경조약으로는 대응할 수 없는 미묘한 문제들을 표출시켰고 한국과의 역사전쟁을 촉발시켰다.

동북공정은 간도를 둘러싼 영토분쟁과 직접적인 관련이 있다. 이는 고구려와 발해가 활동한 만주지역, 그 중에서도 간도지역에 대한 영유권 논쟁을 미리 차단하려는 목적에서 시작되었다는 것이 학계의 중론이다. 한국이 간도에 가진 역사적 연고권을 봉쇄하고 자신들의 역사적 연고권을 창출하기 위한 목적에서 고구려와 발해사의 자국사 편입을 강행하였다는 것이다. 이는 결국 중국의 동북공정이 역사 연구라는 명목으로 진행되었음에도 백두산 정계비 설치, 두 차례에 걸친 조선과 청나라의 국경 회담과 같은 간도 영토분쟁의 연장선에서 이루어지고 있음을 알 수 있게 한다.

슬픈 평양

앞에서 '위화도 회군'으로 병권을 차지한 이성계가 고려를 멸망시키고 조선을 건국하면서 요동과 만주 전역을 포기하는 대가로 명나라로부터 조선 건국을 승인받고 스스로 번국이 되는 길을 선택했다고 서술하였다. 또 조선 초기만 해도 비록 지배력은 상실했지만 만주와 연해주까지 우리 영토로 인식하고 있음을 동국지도를 보면 알 수 있다고 했다.

그러나 우리나라 국민 중에는 고려의 영토가 만주와 연해주에 이르렀다는 사실을 모르는 사람들이 많다. 고려가 통일신라의 영토를 이어받은 나라로만 알고 있기 때문이다. 고려가 고구려와 발해의 영토를 계승했다는 사실을 부정해온 일제의 식민주의 역사관을 아직도 극복하지 못했기 때문이다.

고구려와 발해를 우리 역사에서 분리하여 금나라와 청나라로 이어지는 별도의 만선사滿鮮史로 규정하고 한국의 역사는 한반도에서만 전개되었다고 주장한 이마니시 류와 이케우치 히로시 등의 이름이 역사전쟁이 불거질 때마다 끊임없이 거론되는 이유도 이 때문이다.

그들은 서희가 여요전쟁 때 소손녕과 담판하여 영유권을 인정받은 강동 6주를 요동에서 평안남도 안북부(안주) 일원으로 옮겼으며 윤관이 여진정벌 후 세웠다는 선춘령비 또한 두만강 너머 700리 흑룡강성 동녕현 도하진에서 함흥평야 일대로 옮겨다 놓았다. 또 우리나라 주류 사학계에서 통용되고 있는 한사군의 위치도 이마니시 류가 평양 일대와 한반도 북부로 비정한 것을 그대로 수용한 것이며 고구려 장수왕이 천도한 요양 평양성과 그곳에 있던 고려 서경을 오늘날 북한의 평양으로 옮겨다 놓음으로써 역사전개의 사실과 진실을 완전히 왜곡하였다.

그런데 그들에게 정작 왜곡의 빌미를 제공한 것은 조선시대 최고의 정사인 『조선왕조실록』과 조선 초기에 편찬된 각종 역사서였다는 사실을 우리는 알아야 한다. 그 중심엔 지금도 제자리를 찾지 못하고 있는 '슬픈 평양'이 있다. 신채호가 《동아일보》에 「평양패수고」를 발표하면서 우리 고대사의 논쟁거리로 남아있는 중요한 역사지리의 문제들이 바로 고대 평양에 대한 올바른 위치비정을 통해서 비로소 해결될 수 있다고 주장한 이유도 이 때문이다.

> 지금의 패수인 대동강을 옛날의 패수로 알고, 지금의 평양인 평안남도 중심 도시를 옛 평양으로 알면 평양의 역사를 잘못 알 뿐 아니라, 곧 조선의 역사를 잘못 아는 것이니, 그러므로 조선사를 말하려면 평양부터 알아야 할 것이다.

평양의 위치를 비정함에 있어 학자들이 가장 많이 인용하는 사료가 『삼국사기』 「고구려본기」 고국원왕 13년(343) 7월의 기사이다. 이 기사에는 평양, 황성, 서경 등 낯익은 지명이 등장한다.

가을 7월에 평양 동쪽 황성으로 옮겼다. 이 성은 지금의 서경 동쪽 목멱산중에 있다. 진나라에서 사신을 보내 조공하였다.

황성은 고구려의 여섯 번째 도읍인 지안이며 지안을 병풍처럼 둘러싸고 있는 산이 목멱산이다. 그럼 문맥상 황성의 서쪽에 있어야 할 평양과 '지금의 서경'(고려시대의 서경)은 어디를 말하는 것일까?

『삼국사기』에는 세 군데의 평양이 기록되어 있다. 모두 고구려의 도읍으로서의 평양이다. 제일 먼저 평양으로 도읍을 옮긴 왕은 동천왕(재위 227~248)이다. 동천왕 21년(247)부터 고국원왕이 지안으로 천도(343)하기까지 96년 동안 평양에 도읍하였다. 이 도읍지가 선인왕검의 택지라고도 기록되어 있는데 인하대 복기대 교수는 이곳을 오늘날 환인지역으로 비정하였다.

장수왕(재위 413~491) 15년(427)에 도읍을 지안에서 다시 평양으로 옮겼다. 그의 아버지 광개토대왕이 사방을 정복하여 영토를 넓혔기에 궁벽한 목멱산 중의 도성을 마침내 평야지대로 옮긴 것이다. 이 평야지대 평양의 위치를 요양이라고 주장하는 학자들이 최근에 부쩍 늘었다. 역사 연구의 지평이 시공으로 확대되고 『요사』 『금사』 등의 사료가 새롭게 주목받으면서부터이다. 그 동안 이 사료들은 중국 한족이 아니라 원나라 때 몽골인에 의해 쓰여 졌다는 이유로 중국과 일부 국내학자들에게 의도적으로 무시당하거나 배제되어 왔다. 하지만 역설적으로 중국 한족이 아니고 같은 지역에서 활동했던 북방민족이 쓴 사서이기 때문에 더 객관적일 수 있다는 점에서 사료로서 가치를 인정받은 것이 아닌가 생각된다.

한편 일부에서는 "고대 평양은 고유 명사라기보다 도읍지로 할 만한 넓은 평야지역을 일컬었던 일반명사일 가능성이 높다"는 의견을 개진하기도 했는데 박지원이 『열하일기』를 쓰면서 '평양은 고조선 시대에 도읍이 있었던 곳을 부르는 일반명사' 라고 주장했던 의견을 그대로 수용한 것으로 보인다.

평원왕(재위 559~590) 28년(586)에는 장수왕이 도읍했던 평양성에서 다시 장안성으로 천도했다. 장안성도 평양으로 기록되어 있는 것으로 보아 장안성과 평양성은 거리상 그리 멀지 않은 곳에 있었을 것으로 추측된다. 장안성은 요하의 지류인 태자하(혼하) 건너 동평으로 비정되고 있는데 이곳도 오늘날 요양이라 부르는 곳이다.

고구려는 보장왕(재위 642~668) 27년(668)에 이곳에서 당나라의 침략으로 멸망했다. 당나라는 여기에 안동도독부를 설치하고 군정을 펼치다가 고구려 유민의 항전이 거세지자 지배를 포기하고 안동도독부를 유주지역(북경 근처)으로 옮겨갔다. 그러자 대조영大祚榮이 이곳을 차지해 발해를 건국하고 발해 5경 중 하나인 중경현덕부라 부르며 228년동안 수도로 삼았다.

발해를 멸망시킨 요나라는 '동쪽의 거란국'이라는 의미로 동란국을 발해의 5경 중 하나인 상경용천부에 세웠다가 2년 만에 이곳으로 이전하였다. 백두산 폭발 등 여러가지 이유가 있었겠지만 발해부흥운동 또한 만만치 않았던 것이다. 결국 동란국은 건국 10년만인 서기 936년에 요나라에 합병되었고 장안성 평양은 요나라의 동경요양부가 되면서 '요양'이라는 지명을 갖게 되었다. 고구려 멸망 이후에도 평양이라 불리는 곳에서 역사가 계속 전개된 것을 보면 도읍지가 될 만한 넓은 평야지역에다가 군사적 요충지였기 때문이 아닌가 생각된다.

이제 황성 서쪽에 있다는 지금(고려시대)의 서경에 대해 알아보자. 왕건이 유훈으로 남긴 훈요10조에서 100일을 머물러 안녕을 이루게 하라 했던 서경과 1107년 윤관이 17만 대군을 거느리고 여진정벌을 위해 출발했던 서경, 그리고 묘청이 그토록 천도를 원했던 서경은 장수왕이 도읍했던 평양, 즉 요양이다.

왕건이 세운 고려가 후삼국을 통일한 것은 동란국이 요나라에 합병된 서기 936년이었다. 『고려사』에 따르면 왕건이 "고구려의 평양성을 차지해 황해도 지방 백성을 옮겨 기반을 튼튼히 하고 평양대도호부로 삼았다가 이어 서경으로 개편하였다"고 기록되어 있는데 왕건이 평양성을 차지할 수 있었던 것은 거란의 정세변화와 직접적인 관련이 있다는 것이 학계의 정설이다.

그 무렵 거란은 당나라가 망한 후에 중국에 난립한 5대 10국 가운데 세 번째 나라인 후진으로부터 지금의 베이징 등이 포함된 연운 16주를 할양받았다. 서기 936년에 후진은 당나라의 후계를 자처한 후당을 멸망시켰는데 그때 거란의 군사 지원이 큰 도움이 되었던 것이다. 덕분에 중원을 차지한 후진은 그 대가로 만리장성 남쪽에 있는 연운 16주를 거란에게 넘겨 주었고 거란은 이 연운 16주를 경략하기 위해 동란국을 합병했다. 국력을 연운에 집중해야 했으므로 동란국의 지배권을 상당부분 포기한 것이다.

이에 고려는 거란과 그 어떤 전쟁도 치르지 않고 평양성을 차지하였고 발해 유민인 여진족을 관리한다는 명목으로 강동 6주의 영유권을 보장받았다. 이때부터 고려는 서경을 중심으로 서쪽은 서북면, 동쪽은 동북면이라 불렀으며 윤관이 동북 9성을 개척함에 따라 영토의 국경이라 할 수 있는 북계가 서북면에서 동북면과 선춘령까지 천리장성으로 연결되어 고구려 영토 대부분을 회복하였다. 그래서 고려 국경을 언급한 『고려사』 권58 「지리지」에 "서북은 당나라 이후로 압록을 경계로 하였고, 동북은 선춘령을 경계로 하였다. 서북은 고구려의 지역에 못 미쳤으나 동북은 고구려 영토보다 더 하였다."고 기록된 것이다.

그런데 왜 『조선왕조실록』과 조선 초기에 편찬된 각종 역사서에서는 요양에 있어야 할 장수왕의 평양성과 고려의 서경을 오늘날 북한의 평양이라고 단정짓게 된 걸까? 신채호는 모화사상에 빠져 한국사의 영역을 한반도로 제한, 축소시킨 김부식의 역사관을 통렬히 비판했지만 김부식보다 더 소중화사상에 빠져 우리 역사를 축소하고 왜곡한 조선시대 사대부들의 책임이 훨씬 크다는 것이 오늘날 역사전쟁을 치르고 있는 우리 역사학계의 공통된 의견이다.

조선을 개국하면서 고조선-고구려-발해-고려로 이어져온 우리 역사의 주무대인 요동을 빼앗기고 포기한 탓에 마치 우리 역사 대부분이 한반도에서 전개된 것처럼 과거와 오래된 미래를 스스로 왜곡할 수밖에 없었던 것이다. 대표적인 사례가 요동에 있는 압록강과 평양성의 지명을 한반도로 옮겨 온 것이다.

우리 역사의 주무대인 요동은 고조선시대 때는 난하의 동쪽이었고, 고구려시대 때는 대릉하 혹은 요하의 동쪽이었다. 때문에 고조선의 중심지는 지금의 조양지역이었고, 고구려의 중심지는 요양지역이었다. 중국과 경계를 이루었던 강(패수)과 중심지(평양)는 시대에 따라 그 위치를 달리 하였지만, 원래 살던 지역의 지명은 그대로 사용하였기에 조선의 사대부들도 이러한 전통을 따랐다고 볼 수 있다.

문제는 이렇게 사용한 지명이 역사왜곡의 출발점이 되었다는 점이다. 고구려인들은 압록수라고 불렀고, 말갈인들은 마자수라고 불렀으며, 중국 한족들은 요하라고 부른 패수를 백두산 부근에서 발원하여 조선과 중국의 서부국경을 이루는 강으로 비정하여 압록강이라 하였고, 평양을 오늘날 북한 평양으로 비정함으로써 요동에 있어야 할 장수왕의 평양성과 고려의 서경을 한반도로 끌어다 놓았다. 더불어 난하 유역에 설치된 한사군도 같은 곳으로 옮겨와 우리의 고대사 대부분이 한반도에서 전개된 것처럼 꾸몄다. 역사를 정치적 필요성에 따라 선택적으로 이용한 대표적인 사례가 아닐까 싶다.

『조선왕조실록』 중에서 유일하게 「지리지」를 갖고 있다는 『세종실록』 「지리지」와 조선 초기에 편찬된 『동국사략』 『동국통감』 등의 역사서에서 시작된 이러한 정치적 이용이 일제 관변사학자들로 하여금 우리 역사를 조작하고 축소시키는 빌미를 제공했던 것이다. 삼조선을 기록한 『세종실록』 154권 「지리지」 평안도 평양부를 읽어 보자.

> 평양부는 본래 삼조선三朝鮮의 구도舊都이다. 당요唐堯 무진년에 신인神人이 박달나무 아래에 내려오니, 나라 사람들이 그를 세워 임금을 삼아 평양에 도읍하고, 이름을 단군檀君이라 하였으니, 이것이 전조선前朝鮮이요, 주周나라 무왕武王이 상商나라를 이기고 기자箕子를 이 땅에 봉하였으니, 이것이 후조

선後朝鮮이며, 그의 41대 손孫 준準 때에 이르러, 연燕나라 사람 위만衛滿이 망명하여 무리 천여 명을 모아 가지고 와서 준의 땅을 빼앗아 왕검성王儉城에 도읍하니, 이것이 위만 조선衛滿朝鮮이었다. 그 손자 우거右渠가 한나라의 조명詔命을 잘 받들지 아니하매, 한나라 무제武帝 원봉元封 2년에 장수를 보내어 이를 쳐서, 진번眞番·임둔臨屯·낙랑樂浪·현도玄菟의 4군郡으로 정하여 유주幽州에 예속시켰다.(중략) 고구려 장수왕 15년에 국내성國內城으로부터 평양으로 이도移都하였는데, 보장왕寶藏王 27년에 당나라 고종高宗이 장수 이적李勣을 보내어 왕을 사로잡아 돌아가니, 나라가 멸망되고 신라에 통합되었다.

전조선, 후조선, 위만조선(삼조선)이라는 표현은 『삼국유사』와 『제왕운기』에서 인용한 것으로 보인다. 그런데 문제는 고조선이 마치 단군조선-기자조선-위만조선으로 이어진 것처럼 원본과 다르게 기술되었다는 점이다. 평양이라는 특정지역에 삼조선을 모두 대입하여 역사적으로 이들 나라가 서로 연결된 것처럼 서술한 것이다.

이성계가 조선을 건국하면서 단군조선과 기자조선의 전통을 계승했다는 의미로 국호를 '조선'으로 지었다고 알려져 있지만, 정도전이 지은 『조선경국전』을 보면 조선은 기자조선을 계승하기 위해 국호를 '조선'으로 했음을 분명히 밝히고 있다.

지금 천자(명 태조)께서, "오직 조선朝鮮이란 칭호가 아름다울 뿐 아니라, 그 유래가 오래되었으니 이 이름을 근본으로 삼아 그대로 지킬 만하다. 하늘을 본받아 백성을 다스리면, 후손이 영원히 번창하리라"라고 명하셨다.

이는 주 무왕이 기자에게 명한 것처럼 (천자께서) 전하에게 명한 것이니, 이름이 이미 바르고 말이 이미 순조롭게 되었다. 기자는 무왕에게 홍범洪範을 설명하면서 홍범의 뜻을 부연하여 8조교八條敎를 만들어 나라 안에 실시하니, 정치와 교화가 성대하게 행해지고 풍속이 지극히 아름다워졌다. 그러므로 조선이란 이름이 천하 후세에 이와 같이 알려지게 되었던 것이다. 이제 조선이라는 아름다운 국호를 그대로 이어받게 되었으니, 기자의 선정善政 또한 당연히 강구해야 할 것이다.

유교 개념에 입각해 새로운 나라 조선을 개창하는 데 앞장선 정도전에게 기자는 두 가지 측면에서 숭앙의 대상이 되었다. 하나는 주나라 무왕과 기자와의 관계를 조선에 대입하여 명나라와의 사대관계를 역사적으로 긍정하는 차원이었고, 다른 하나는 기자가 무왕에게 교시했다는 홍범과 고조선의 팔조금법을 연결시켜 조선도 중국 못지 않게 일찍 문명화되었음을 강조하는 차원이었다. 기자동래설은 이런 얼개로 조선시대를 관통하면서 사실로 굳어졌다.

기자가 숭앙의 대상이 되자 기자보다 먼저 조선을 세운 단군에 대한 인식도 함께 고양되어 태종 4년(1403)에 하륜, 권근 등에 의해 편찬된 『동국사략』부터 단군조선-기자조선-위만조선으로 이어지는 상고사체계가 정립되었으며, 이후로 국가에서 편찬한 역사서는 모두 이 체계를 따랐다. 『세종실록』「지리지」는 물론, 일본으로 반출되어 조선을 연구하는 교과서로 사용되었다는 『동국통감』 또한 이러한 체계로 작성되었으니 이 사료를 바탕으로 일본 최초로 조선사를 전공하여 박사학위를 취득한 이마니시 류가 우리의 역사를 마음껏 조작하고 축소하면서 그 근거로 조선시대 역사서를 참조하였다고 강변할 수 있는 명분을 주었던 것이다.

그런데 최근에 『동국통감』 편찬에 참여했던 최부崔溥의 중국 견문록 『표해록』을 주목하는 학자들이 많아졌다. 이 책 또한 조일전쟁 때 약탈되어 일본으로 반출되었으며 『동국통감』과 더불어 조선을 연구하는 사료로 활용되었다고 하는데 나중엔 아예 일본어로 번역·출간될 정도로 인기가 높았다. 만선사에 경도된 이마니시 류도 당연히 읽어 보았을 것이다. 『표해록』를 지은 최부는 『동국통감』 편찬에 참여하여 178편의 사론 중 118편을 썼을 정도로 우리 역사에 해박했고, 『동국여지승람』 편찬에도 참여할 만큼 지리에도 밝았다.

그런 그가 부친상喪을 당하여 제주도에서 고향 나주로 가던 중 풍랑을 만나 중국저장성 닝보에 표착漂着한 후 북경을 거쳐 조선으로 돌아오는 6개월간의 과정을 기록한 책이 『표해록』이다. 제목은 『표해록』이지만 실제 내용은 표류 기록보다는 표류 이후에 중국을 견문한 내용이 대부분을 차지한다. 항주에서 운하를 따라 북경에 도착한 최부는 북경에서 명나라 황제를 알현하고 요동반도를 거쳐 압록강을 건너 1488년 6월 18일 한양에 도착하였다.

그리고 성종의 명에 따라 표류할 때부터 귀국할 때까지 견문한 사실을 일기체 형식으로 작성하여 바쳤다. 왕에게 진헌進獻하는 문서인 만큼 최부는 직접 보고 들은 것과 거기에 대응했던 자신의 생각과 행위를 기술함에 있어 신중을 기했을 것이다. 버릴 것과 취할 것을 구분했을 것이고, 걸러낼 것과 덧붙일 것을 선택했을 것이다. 그런 부담감 속에서도 그는 역사서 편

찬에 참여했던 사관으로서의 자신의 역사의식을 숨기지 않았다.

인하대 고조선연구소 평양연구팀은 그런 그의 역사인식 중 고구려에 대해 언급한 부분을 특히 주목하였다. 이 문서를 통해 장수왕이 천도한 평양성의 위치를 고증할 실마리를 찾기 위함이었다. 마침내 평양연구팀은 평양성을 요양으로 비정하는 다수의 논문을 모아 『고구려의 평양과 그 여운』이라는 연구총서를 발간하였는데 이 논문들에서 『표해록』 3권의 일기가 일부 인용되었다.

최부는 1488년 5월 24일 요양에서 우리말에 능통한 중僧 계면戒勉을 만났다. 조선이 요동을 빼앗기고 포기하는 바람에 고려의 백성으로서 국체를 잃어버리고 중국인으로 살고 있는 그에게 들은 이야기를 다음과 같이 기록하였다.

> 이 지방은 곧 옛날 우리 고구려의 도읍인데 중국에게 빼앗겨 소속된 지가 1,000여 년이나 되었습니다. 우리 고구려의 끼친 풍속이 아직도 없어지지 않아서 고려사高麗祠를 세워 근본으로 삼고 공경하여 제사 지내기를 게을리 하지 않으니 근본을 잊지 않기 때문입니다.

또 그는 5월 28일 일기에 비가 와서 조선으로 떠나지 못하고 요양에서 하루 더 머물게 되자 요양의 역사와 지리를 개론概論하는 기록을 남겼다.

요동은 곧 옛날 우리나라의 도읍이었는데 당唐 고종高宗에게 멸망을 당하여 중원에 소속되었다가 오대伍代 시대에는 발해 대씨大氏의 소유가 되었더니 후일에는 요遼·금金·원元의 병탄한 바가 되었던 것입니다.

이 기록들이 평양연구팀으로 하여금 요양을 평양성으로 비정하는데 나름 실마리를 제공했던 모양이다. 몇 편의 논문에서 이 대목이 여러 번 인용되었다. 하지만 이러한 주장이 학계와 일반 국민들에게 널리 확산되기까지는 좀 더 시간이 필요해 보인다. 역사교육을 통해 대중의 통념이 획기적이고 근본적으로 바뀌지 않는 한 사회 저변에 깔려 있는 역사의식은 쉽게 변하지 않기 때문이다. 그럼에도 불구하고 이러한 시도와 노력은 계속되어야 한다. 우리 조상들이 남긴 광활한 유산과 정신을 회복하여 다시금 민족의식을 고양하고 역사전쟁 중인 동북아시아에서의 힘의 균형을 유지하기 위해서라도 잘못된 역사는 반드시 바로 잡아야 한다.

평양연구팀의 연구논문을 통해 알게된 분명한 사실은 북한의 평양이 장수왕이 천도한 평양은 결코 아니라는 점이다. 『조선왕조실록』「세종」 35권 9년(1427) 3월 13일의 기사를 보면 삼국의 시조 사당을 그 나라가 도읍했던 곳에 세우려 하는데 백제와 신라의 도읍은 알겠으나 고구려의 도읍은 어딘지 모르겠다는 내용이 나온다. 이때까지만 해도 오늘날 북한의 평양을 고구려의 수도로 인식하지 않고 있었다는 얘기다.

정사를 보았다. 예조 판서 신상申商이 계하기를, '삼국三國의 시조始祖의 묘廟를 세우는데 마땅히 그 도읍한 데에 세울 것이니, 신라는 경주慶州이겠고,

백제는 전주全州이겠으나, 고구려는 그 도읍한 곳을 알지 못하겠습니다.' 하였다. 임금이 말하기를, '상고해 보면 알기가 어렵지 않을 것이다. 비록 도읍한 데에 세우지는 못하더라도 각기 그 나라에 세운다면 될 것이다.'하였다. 이조 판서 허조許稠가 계하기를, '제사 지내는 것은 공을 보답하는 것입니다. 우리 왕조王朝의 전장典章·문물文物은 신라의 제도를 증감增減하였으니, 다만 신라 시조에게 제사 지내는 것이 어떻겠습니까.' 하니, 임금이 말하기를, '삼국이 정립鼎立 대치對峙하여 서로 막상막하莫上莫下였으니, 이것을 버리고 저것만 취할 수는 없다.' 하였다.

『세종실록』「지리지」가 편찬된 것은 이 기사로부터 27년이 지난 1454년(단종 2)이다. 그러므로 요양의 평양성이 오늘날 북한의 평양으로 둔갑한 것은 『세종실록』「지리지」가 편찬되면서부터가 아닌가 생각된다. 15세기 이전까지만 해도 조선과 중국은 요양을 평양으로 보았는데 소중화를 추구한 조선이 지금의 북한을 평양이라 하니 명나라는 요양에도, 조선에도 평양이 있다고 기록했다는 것이다.

혹자는 『세종실록』「지리지」를 역사지리의 왜곡 그 자체로 보는 것은 무리라고 주장하기도 한다. 평양을 명나라에 넘겨주지 않았음을 강변하려다 보니 역사지리 왜곡은 평양부에만 집중되어 있을 뿐 함길도편에서는 윤관이 구축한 동북 9성이 지금의 두만강 건너편에 있음을 보여주고 있기 때문이라는 것이다. 결국 명나라에게 사대를 해야 하는 정치적인 필요성 때문에 불가피한 선택이었을 것이라는 주장이다. 여전히 역사는 정치일 수밖에 없다는 논리이다.

역사는 정치다

역사학자들은 '역사는 사실을 다루는 학문이자 동시에 사실에 대한 해석의 학문'이라고 말한다. 그러면서 '그러나 해석을 사실로 바꿀 수 없으며 해석을 사실로 바꾸려는 시도가 전형적인 역사왜곡'이라는 말도 빼놓지 않는다. 그렇다면 역사와 정치는 불가분적 관계일 수밖에 없다. 역사의 해석을 사실로 바꿀 수 있는 능력은 오직 권력만이 가지고 있으며 그러한 행위가 곧 정치이기 때문이다.

「정치의 도구가 된 세계사, 그 비틀린 기록」이라는 부제가 붙어있는 『권력은 왜 역사를 지배하려 하는가』라는 책을 보면 권력의 유지, 확대재생산을 위해 역사를 정치의 도구로 이용하여 역사의 해석을 사실로 바꾼 사례가 여럿 등장한다.

현직 외교관인 이 책의 저자 윤상욱은 역사의 해석을 둘러싼 역사논쟁은 결국 정치논쟁일 수밖에 없다고 단언한다. 그리고 정치논쟁의 궁극적인 목적은 권력에 대한 정당성 부여이므로 이를 위해 국민을 길들어야 한다면 현재가 아닌 과거를 장악하라고 말한다. 집단의 기억으로 남아있는 과거가 바로 역사이기 때문이다. 또한 역사가 오래된 미래인 까닭에 과거

를 장악하면 현재의 권력이 확대 재생산되어 미래로 이어질 수 있다는 논리이다. 그래서 우리에게 충격을 안겨 준 사건 뒤에는 반드시 역사라는 진실이 숨어 있다고 그는 강조한다.

또 다른 책은 부제가 「권력은 왜 역사를 장악하려 하는가?」인데 몇 년 전 우리 사회를 떠들썩하게 했던 '국사 교과서 국정화 파동'을 다룬 책이다. 저자는 이 파동을 『역사전쟁』이라고 명명했다. 여기서 역사전쟁은 '과거를 해석하는 싸움'이라고 할 수 있는데 문제는 해석을 사실로 바꾸려는 권력의 의도가 개입되었다는 점이다. 역사논쟁, 학문적 쟁점들을 정치논쟁, 이념전쟁으로 몰고가 정치권력을 미화하는 수단으로 삼으려 했다는 것이 이 책의 분석이다.

역사를 장악하고 지배하려는 권력의 시도가 나라마다 시대마다 어떤 부작용을 낳았고 어떤 대가를 치르게 했는지 외교관이나 역사학자가 아니더라도 역사의 쓸모를 아는 사람이라면 충분히 인지하고 있을 것이다.

'역사로부터 배운다'는 의미는 '역사는 반복된다'는 함의를 내포하고 있기 때문이다.

'국사 교과서 국정화 파동'은 역사를 극심한 정쟁의 대상으로 삼았다는 점에서 다소 충격적이다. 남북이 이념의 차이로 분단된 나라에서 역사에 이념을 덧씌운 것도 그렇고 특정 집단의 역사적 과오를 역사 전개 과정으로 합리화시키기 위해 권력이 전면에 나선 것도 그렇다.

이러한 역사 장악 시도는 친일세력과 결탁하여 권력을 잡은 이승만李承晩을 건국과 자유민주주의의 기초를 놓은 인물로 미화시키고 군사정변으로 권력을 잡은 박정희朴正熙를 부국과 산업화의 초석을 놓은 인물로 부각시켜 이 두 사람의 삶을 긍정하고 지지하는 세력을 확산하기 위해 기획된 것이라 한다. 명분만 놓고 본다면 박근혜 정부니까 가능한 일이었을 것이다. 자식이 아버지의 흑역사를 감추고 싶은 것은 인지상정이기 때문이다. 『역사전쟁』의 저자 심용환은 고작 5년 임기의 정부가 5,000년 역사를 올바르게(?) 수정하겠다는 것은 어불성설이라고 비난하였지만 그들은 이러한 역사 장악 시도를 통해 50년 집권을 꿈꾸었는지도 모른다.

역사와 정치가 불가분적 관계임을 보여주는 사례는 사대외교를 했던 조선시대에는 부지기수였다. 명나라가 조선의 역사를 곡해할 때마다 이를 바로잡아 달라고 수십 차례 변무辨誣를 해야 했던 것이다. 명나라는 이런 식으로 역사를 교묘하게 정치에 이용했고 조선은 알면서도 속절없이 당해 주었다.

제2부 윤휴 편 「예로써 책망할 수 없다면 짐승과 다름없다」에서 기술한 것처럼 명나라는 광해군을 몰아낸 인조반정을 쿠데타에 의한 왕위찬탈로

규정하여 인조의 책봉을 완강히 거부했었다. 그러다 "명나라를 위해 후금과 적극적으로 맞선다"는 조건으로 책봉을 허락하였는데 자신들의 사서인 『희종실록』과 『양조종신록』에서는 여전히 '왕위찬탈'이라 명시하여 조선을 기미機微하는 수단으로 활용하였다. 난신적자가 되지 않으려면 이 문구를 반드시 삭제해야 했던 인조와 반정공신들은 어쩔 수 없이 명나라의 요구를 모두 수용하였고 숭명배금을 표방하며 후금과 맞서다 두 차례에 걸쳐 참혹한 호란을 겪어야 했다.

이러한 이이제이 전략은 명나라를 세운 주원장이 조선을 건국한 이성계를 길들이기 위해 이성계의 종계宗系를 사실과 다르게 기록하면서 시작되었다. 자신들의 사서인 『태조실록』과 『대명회전』에 이성계가 이인임의 아들이라고 기록하였던 것이다. 이인임은 최영, 이성계와 더불어 고려말을 풍미하며 그 시대에 한 획을 그은 인물이다. 고려 조정에 이성계의 이름을 알리게 된 쌍성총관부와 동북면 탈환 전쟁 때 최영과 함께 출정하여 공을 세웠는데 이때 만난 세 사람은 나중에 서로의 정치생명을 노리는 정적이 된다. 정무감각이 뛰어나고 사람 보는 안목이 있었다는 이인임은 최영에게 이성계의 야심을 경계해야 한다고 일렀으나 오히려 최영이 이성계의 힘을 빌려 이인임을 축출하였고 이성계가 위화도에서 회군하여 최영을 제거함으로써 세 사람이 벌인 권력투쟁은 이성계의 승리로 끝난다.

이성계가 명나라 사적에 자신이 이인임의 아들로 기록되어 있다는 사실을 안 것은 조선을 개국하고 왕위에 오른 지 3년째 되던 해인 1394년이었다. 그는 즉각 시정을 요구하는 '종계변무' 서신을 명나라에 보냈다. 자신이 고려의 난신으로 지목했던 인물을 자신의 아버지로 둔갑시켜 놓았으니 조선 왕실을 의도적으로 조롱하고 폄하하려는 의도로 볼 수밖에 없었다.

그러나 주원장은 이성계의 요구를 묵살하였고 오히려 이듬해에 간행한 『황명조훈』에 이러한 내용을 다시 한 번 명시하였다. 『황명조훈』은 통치에 대한 조언과 훈계를 목적으로 주원장이 후대 황제들에게 내린 유훈을 기록한 책이다. 그래서 함부로 수정하거나 교정할 수 없는 명나라 황실의 지침서였다. 그가 이렇게까지 해가면서 이성계를 폄하한 것은 그에 대한 의심과 경계심 때문이었다.

주원장의 명나라는 원나라를 몰아내고 중원을 차지하였지만 원나라와의 접경지역인 요동과 만주는 완전히 장악하지 못했다. 그 지역은 고구려-발해-고려로 이어온 고구려 유민 여진족의 땅이었고 고려가 실효 지배하다 원나라에게 복속된 후부터는 무주공산이 되어 여진족장끼리 각축을 벌이고 있었다. 중요한 점은 이들이 이 지역 출신인 이성계와 왕업으로 얽혀 있었고 형제지의의 관계를 맺고 있었다는 점이다. 만약 여진족장들이 모두 이성계의 휘하에 들어갈 경우 조선의 통치권력이 고려 때보다도 더 강력하게 요동 땅에도 미칠 것이며, 그렇게 되면 여진족으로 하여금 고비사막 북부의 원나라를 견제하는데 이용하고자 했던 명나라의 이이제이 전략에도 차질이 생길 수밖에 없었다. 어떻게 해서라도 두 세력 간의 연결고리 차단해야 했다.

주원장이 취한 반간계는 이성계가 여진족 출신이 아니라는 점(종계 부정)을 부각시키고 나아가 그의 아버지라 일컬은 이인임과 더불어 공민왕-우왕-창왕-공양왕 등 고려왕 4명을 시해(4왕 시해)하고 나라를 찬탈

했다고 명시하는 것이었다. 실제로 주원장과 그의 아들 주체는 『황명조훈』과 『대명회전』에 이런 내용을 기록하여 고려를 국체로 섬겼던 여진족들에게 이성계와 그의 아들 이방원에게 등을 돌리는 계기를 만들었다. 제일 먼저 이성계의 최측근이었던 우랑카이 부족장 아하추가 등을 돌렸고 이어 알타이 부족장 먼터무가 명나라에 입조하면서 조선에 등을 돌렸다. 주원장의 반간계가 성공한 것이다. 이로써 요동과 만주에 대한 지배권은 완전히 명나라로 넘어갔다.

그렇다고 명나라의 조선에 대한 의심과 경계심이 완전히 사라진 것은 아니었다. 여진족이 존재하고 조선이라는 나라가 망하지 않는 한 두 세력이 언제 다시 형제지의로 뭉쳐서 요동과 만주를 되찾을지 모르는 일이었다. 조일전쟁 개전 초기에 "조선이 고의로 일본군을 끌어들여 요동을 차지하려 한다"는 유언비어가 나돈 것을 상기해 보면 명나라가 얼마나 집요하게 조선을 의심하고 경계했는지 알 수 있다.

명나라 사서에 기록으로 남은 주원장의 반간계는 거의 200여 년동안 조선을 옥죄는 굴레로 작용했다. 태종대부터 선조대까지 수십 차례 변무사를 파견하여 '종계 부정'과 '4왕 시해' 부분을 삭제해 달라고 요청했지만 명나라는 주원장의 유훈이라는 이유로 모두 거절했다. 그러면서도 여진족에 대한 통제가 필요할 때면 어김없이 조선에 파병을 요구했다. 그러다 선조 6년(1573)에 『대명회전』을 수정한 『속대명회전』을 편찬한다는 소식이 들려오자 선조는 주청사로 이후백李後白과 윤근수尹根壽 등을 파견하여 주청과 읍소를 거듭한 끝에 "조선의 주청내용을 실록과 『속대명회전』에 기록하겠다"는 약속을 받아냈다. 마침내 선조 21년(1588)에 사은사로 갔던 유홍兪泓이 개정된 『속대명회전』과 황제의 칙서를 받아왔다. 비록 『속대명회전』에서 '종계'와 '4왕 시해' 부분을 삭제하지는 못했지만 조선에서 주청한 내용이 부록에 실려 있다고 한다. 『선조수정실록』 22권 21년(1588) 2월 1일 자의 기사를 보면 선조가 이 일을 크게 기뻐하여 종묘에 고하고 대사령을 내렸다는 내용이 나온다.

> 천자의 총광寵光을 받들어 더러운 수치를 영원히 씻었다. 온 나라 사람들과 함께 기뻐하며 칙서 내린 은혜를 널리 알린다. 만물이 다 경하하고 나라가 다시 조성造成되었다. 돌아보건대, 하찮은 내가 외람되이 큰 기업基業을 지키게 되었는데 선계先系가 무함을 받은 것을 마음아프게 여겨왔으니 어찌 비단옷을 입고 쌀밥을 먹는 것이 편안할 수 있겠는가.(중략) 천자의 말씀이 내려왔는데 보훈寶訓을 겸하여 유포하였다. 원류源流가 옥적玉籍에서 바로잡혔고, 충분忠憤은 금장金章에서 포창을 받았다. 열성조列聖朝로부터 2백 년 동안 호소한 소주疏奏가 얼마나 간절하였던가! 우리 나라의 영토 수천 리에 끊어졌던 윤기倫紀가 새롭게 밝아졌다. 생각건대 국민이 다같이 기뻐하며 태평을 누리는 시기에 반드시 죄인을 풀어주는 비상한 은전이 있어야 한다. 이미 종묘·사직에 두루 밝게 고하였으니, 혜택이 신민에게 성대하게 내려져야 할 것이다.

명나라는 1368년부터 1644년까지 16명의 황제가 중국을 통치한 한족 통일왕조이다. 조선은 그보다 약 2배 긴 세월인 530년 동안 존속했다. 명나라가 중국의 역사를 이끈 277년 동안 조선은 '더럽고 수치스러운' 종계

변무를 감내하며 사대외교를 했다. 신채호가 '사대주의의 성취'라고 개탄할 만한 세월이었다. 명나라가 역사의 뒤안길로 사라진 후에는 조일전쟁 때 도움을 받았다는 이유를 내세워 더 지극정성으로 섬겼다. 존명의식과 성리학적 명분론만이 병자년 호란에서 무릎을 꿇은 조선을 추켜세울 수 있는 유일한 힘이었던 것이다.

조일전쟁의 분수령이 되었던 평양성 전투에 참가한 명나라 장수 6명의 화상을 평양 무열사에 걸어 놓고 315년 동안 제사를 지냈으며 조일전쟁 당시 황제였던 만력제(신종)와 마지막 황제 숭정제(의종)를 기리기 위해 괴산의 화양계곡에 만동묘를 세우고 230년 동안 제사를 지냈다. 그러나 힘이 되어준 존명의식과 소중화사상은 시간이 지날수록 교조주의로 변질되었고 조선을 시대착오적인 나라로 전락시켰다.

화양계곡에는 이러한 흔적이 지금도 남아있다. 사적으로 지정된 괴산 송시열 유적이 그것이다. 눈길을 끄는 것은 그가 첨성대 절벽에 새긴 '대명천지 숭정일월大明天地 崇禎日月' 이라는 글귀인데 "천지는 명나라 것이고 해와 달은 숭정 황제의 것이다"라는 뜻이다. 조선의 시공간을 명나라 숭정제의 것이라 하니 사대도 이정도 수준이면 거의 도그마라 해야 할 것이다. 만동묘도 같은 의미로 지어진 이름이다. 『순자』의 「유좌편」에 나오는 '만절필동萬折必東'에서 유래했다고 하는데 "황하가 만 번을 굽이쳐도 결국은 동쪽으로 흐른다"는 뜻으로 원래는 "뜻이 굳은 사람은 이를 반드시 관철시킨다"는 사필귀정의 의미라고 한다. 조선에서는 여기에 재조번방再造藩邦을 결합시켜 '조일전쟁 때 거의 망한 조선을 구해준 명나라에 대한 충성맹세' 의미로 사용되었다. 그런 까닭에 '충신의 절개는 꺾을 수 없음을 이르는 말'이라는 엉뚱한 해석이 나오기도 했다.

최근 들어 이 만절필동이라는 글귀가 갑자기 많은 사람들의 입에 오르내렸다. 엉뚱한 해석으로 본래의 뜻과는 상관없이 다분히 정치적인 용어가 되어 버린 이 말을 정치인들이 분별없이 사용함으로써 시대착오적인 충성맹세가 아니냐는 지적이 일었던 것이다. 여기에 등장하는 정치인은 노영민 당시 주중대사와 문희상 당시 국회의장이다.

2017년 12월 5일 문재인 정부의 첫 주중대사로 부임한 노영민은 신임장 제정식 방명록에 '万折必東 共創未來'라는 글귀를 남겼다. 그리고 한글로 "지금까지의 어려움을 뒤로 하고 한중관계의 밝은 미래를 함께 열어 나가기를 희망합니다"라고 썼다. 만절필동보다는 공창미래에 방점을 찍은

화양계곡 만동묘 인근 암벽에 새겨져 있는 만절필동. 선조 이연의 글씨이다.

주석을 달았지만 국내 여론은 만절필동을 더 주목하였다.

그리고 이 글귀가 우리 역사에서 어떤 의미로 사용되었는지 잘 알고 있는 학자들의 입을 빌어 언론과 일부 정치인들은 그의 사대적 처신을 맹비난하였다. 문장이나 글귀는 원래의 의미와 별개로 역사와 문화적 맥락에서 새로운 의미를 부여 받기도 하는데 이 글귀가 그렇다는 것이다. 글귀의 의미를 알고 썼다면 국가의 독립을 훼손한 것이고 모르고 썼다면 나라를 망신시킨 것이라고 주장하기도 했다. 상대가 중국이었으므로 과민하게 반응한 면도 없지는 않았으나 시대가 바뀌어도 역사와 정치는 불가분적 관계임을 보여주는 대표적인 사례가 아닌가 싶다.

문의상의 만절필동은 상대가 미국이었다. 2019년 2월 12일 국회의장 자격으로 국회대표단과 함께 미국을 방문하여 낸시 펠로시Nancy Pelosi 하원의장에게 자신이 쓴 만절필동萬折必東 휘호를 선물했다. "우여곡절을 겪어도 결국 북핵문제가 해결될 것"이라는 의미였다고 하는데 국내 여론은 이 글귀에 또 다시 민감하게 반응했다. 패권전쟁 중인 미중관계를 고려했을 때 "하필 한자로 쓴 휘호를 -그것도 중국에 충성맹세한 의미를 담고 있는 글귀를- 해석하기에 따라 상대국에게 자칫 오해를 살 수도 있는" 등의 표현을 써가며 신중치 못한 처사였다고 비난했고, 한편에서는 조선이 명나라에게 했던 사대외교를 미국에게 하고 있음을 보여준 것이 아니냐며 굴종 외교라는 표현도 서슴지 않았다.

이렇듯 만절필동이 많은 사람들의 입에 계속 오르내리는 것은 조일전쟁 때 명나라에서 받은 도움과 한국전쟁 때 미국에서 받은 도움을 동일시하는 재조지은 의식이 우리나라 국민정서에 깊이 깔려 있기 때문이다. 한편으로는 사대외교로 이어질까 염려하면서도 다른 한편으로는 우리나라 안보와 경제에 절대적인 영향력을 행사하고 있는 두 나라의 비위를 맞추기 위해 양비론을 용인하는 사회적 분위기가 존재하고 있는 것이다. 역사는 여전히 현실정치에도 깊숙이 관여하고 있다.

[에필로그]

과거와 오래된 미래와의 화해

대중들은 학자들이 해설한 해석서나 언론의 탐사보도로 밝혀진 내용을 통해 역사를 배우고 이해한다. 김부식이 쓴 『삼국사기』도 그렇고 『고려사』를 비롯한 조선시대에 씌여진 많은 사서들도 엄격히 따지면 모두 역사 해석서이다. 신채호의 『조선상고사』 윤내현의 『고조선연구』와 크게 다를 바 없다. 기록된 역사를 연구자의 시각에서 새롭게 해석하거나 사실여부를 사관의 관점에서 재해석한 결과물이다. 여기에는 기록되지 않은 집단의 기억도 뒤섞여 있어 사실인지 해석인지 모를 내용들도 다수 포함되어 있다.

그래서 대중들의 역사공부는 이 모든 관점을 내재화하여 자기 관점을 정립하기 위한 나름의 과정을 겪는다. 이러한 과정에서 느낀 소회를 정리한 것이『만주 벌판을 잊은 그대에게』이다. 대중들의 다양한 역사인식은 결국 역사의 주체자로서의 자아를 발견하려는 노력의 산물이라는 생각에 글쓸 용기를 내었다. 생각의 차이는 다름일 뿐 틀림이 아니라는 것을 역사를 통해 배운다. 역사공부에는 삶을 깨우는 죽비소리와 같은 울림이 있다.

『만주 벌판을 잊은 그대에게』의 화두는 단연 '북벌'이다. 북벌을 매개로 과거와 오래된 미래와의 화해를 모색해 보고 싶었다. 본문에서 역사를 '오래된 미래' 또는 전통과 같은 뜻에서 '집단의 기억'이라고 표현하기도 했는데 이는 현재에도 유효한 역사의 이어짐과 반복됨을 의미하는 용어였다. 반면 과거는 현재에 존재하지 않는, 그리고 아무도 기억하지 않는 지나간 시간의 흔적 같은 의미로 사용했다. 과거와 오래된 미래 사이의 간극을 '북벌'이라는 화두로 채우니 자연스럽게 윤언이와 윤휴처럼 아무도 기억하지 않는 인물과 윤내현이 오버랩되었고 어렴풋이 화해의 실마리가 보이기 시작했다.

중국 고대사 전공자인 윤내현이 고려시대 인물인 윤언이나 조선시대 인물인 윤휴를 연구했을 리 없다. 더욱이 북벌은 그의 관심사도 아니다. 그럼에도 불구하고 이 세 사람의 역사인식에는 우리 역사에서 지워진 북녘 땅을 회복하고 복원하고자 하는 염원이 담겨 있다. 거기엔 우리 조상들이 남긴 광활한 유산과 정신도 포함되어 있다. 고구려의 건국이념이라 할 수 있는 다물多勿정신이 세 사람의 역사인식에 공통분모로 존재하고 있었던 것이다.

그런 의미에서 이 세 사람을 우리 역사에 계속 패자로 남게 해서는 안된다는 생각이 들었다. 100년 역사전쟁을 촉발시킨 일제의 식민주의 역사관과 중화 패권주의 역사관을 극복하기 위해서라도 세 사람과 대척점에서 있었던 세력과의 화해를 모색해 보고 싶었다. 역사는 사실을 다루는 학문이자 동시에 사실에 대한 해석의 학문이므로 화해의 관점에서 역사를 해석해 보면 어떨까 하고 상상한 것이다.

그러나 역사해석은 문학의 영역이 아니라서 역사를 공부하며 시를 쓰는 시인으로서의 문학적 상상력으로 역사적 상상력을 견인하고 평설評說

하며 이 글을 썼다. 역사를 전공하고 현재 박물관에서 연구원으로 일하고 있는 아들 윤재하는 이러한 나의 상상력이 사실과 해석의 경계를 넘지 않도록 많은 조언을 해 주었다.

화해의 실마리를 김수영 시인의 시 「거대한 뿌리」에서 찾았다. "전통은 아무리 더러운 전통이라도 좋다", "역사는 아무리 더러운 역사라도 좋다"며 기록이든 기억이든 지금까지 이 땅에 남아있는 것들을 긍정하기 위해 자신의 시에 쌍욕을 서슴지 않았던 시인의 역사인식에서 역사를 긍정하지 않으면 현실을 곡해할 수도 있음을 배운다. 역사를 긍정하지 않으면 오래된 미래조차 기약할 수 없음을 배운다.

또 백석 시인의 시 「북방에서」를 통해 '나' 즉 우리 민족이 만주를 잃고 나라마저 빼앗긴 현실을 성찰하는 시심을 배운다. 역사서는 주로 시인이 썼다는 말이 있는 것처럼 과거와 오래된 미래를 성찰하는 시심이 곧 역사인식이기 때문이다.

백석은 만주에 머무르는 동안 "이 넓은 벌판에 와서 시 한 백편 얻어가지고" 가겠다는 포부를 밝혔다는데 만주 벌판에서 그가 성찰한 것은 "아모 이기지 못할 슬픔도 시름도 없이 다만 게을리 먼 앞대로 떠나 나왔다"는 사실이었다. 여기서 '앞대'는 평안도 남쪽 한반도를 가리킨다. 고구려와 발해의 광활한 만주 벌판을 잃어 버리고 좁은 한반도에서 "따사한 햇귀에서 하이얀 옷을 입고 매끄러운 밥을 먹고 단샘을 마시고 낮잠을 자며" "갈가마귀도 긴 족보"를 이룰 만큼 오랜 세월을 살아왔음을 아프게 성찰한 것이다.

김수영과 백석의 시에 투영되어 있는 역사인식은 왜 시인이 역사를 공부해야 하는지를 가르쳐 준다. 그리고 시인의 시심 또한 역사의 주체자로서 자아를 발견하려는 노력의 산물임을 다시 한 번 깨닫는다.

백석의 시 「북방에서」를 시심에 새기며 이 글을 맺고자 한다.

아득한 넷날에 나는 떠났다
부여扶餘를 숙신肅愼을 발해渤海를 여진女眞을 요遼를 금金을
흥안령興安嶺을 음산陰山을 아무우르를 숭가리를
범과 사슴과 너구리를 배반하고
송어와 메기와 개구리를 속이고 나는 떠났다

나는 그때
자작나무와 이깔나무의 슬퍼하든 것을 기억한다
갈대와 장풍의 붙드든 말도 잊지 않었다
오로촌이 멧돌을 잡어 나를 잔치해 보내든것도
쏠론이 십리길을 따러나와 울든 것도 잊지 않었다

나는 그때
아모 이기지 못할 슬픔도 시름도 없이
다만 게을리 먼 앞대로 떠나 나왔다
그리하여 따사한 햇귀에서 하이얀 옷을 입고 매끄러운 밥을 먹고 단샘을 마시고 낮잠을 잣다
밤에는 먼 개소리에 놀라나고

아침에는 지나가는 사람마다에게 절을 하면서도
나는 나의 부끄러움을 알지 못했다

그동안 돌비는 깨어지고 많은 은금보화는 땅에 묻히고 가마귀도 긴 족보를 이루었는데
이리하야 또 한 아득한 새 녯날이 비롯하는 때
이제는 참으로 이기지 못할 슬픔과 시름에 쫓겨
나는 나의 녯 한울로 땅으로—나의 태반胎盤으로 돌아왔으나

이미 해는 늙고 달은 파리하고 바람은 미치고 보래구름만 혼자 넋없이 떠도는데

아, 나의 조상은 형제는 일가 친척은 정다운 이웃은 그리운 것은 사랑하는 것은 우러르는 것은 나의 자랑은 나의 힘은 없다 바람과 물과 세월과 같이 지나가고 없다

(백석, 「북방에서 — 정현웅에게」 전문, 『문장』 1940년 7 · 8월호 게재)

[참고문헌]

프롤로그

송광룡, 『역사에 지고 삶에 이긴 사람들』 풀빛, 2000
신채호, 『조선상고문화사(외)』비봉출판사, 2007
진재운, 『백두산에 묻힌 발해를 찾아서』 산지니, 2008

제1부 | 윤언이

국립중앙박물관, 『다시 보는 역사 편지, 고려묘지명』 시월, 2006
신채호, 『조선상고문화사(외)』 비봉출판사, 2007
김용선, 『고려 · 사회 · 사람들』 일조각, 2018
김용선, 『고려금석문 연구』 일조각, 2004
윤한택 · 복기대 외, 『압록과 고려의 북계』 주류성, 2017
복기대 외 『고구려의 평양과 그 여운』 주류성, 2018
박종기, 『고려사의 재발견』 휴머니스트, 2015
김인희, 『1,300년 디아스포라, 고구려 유민』 푸른역사, 2010
이종욱, 『신라가 한국인의 오리진이다』 고즈윈, 2012

제2부 | 윤휴

이정훈, 『고구려의 국제정치 역사지리』 주류성, 2019
천제셴, 『누르하치, 청 제국의 건설자』 돌베개, 2015
원종선, 『고구려 산성을 가다』 통나무, 2018
한명기, 『임진왜란과 한중관계』 역사비평사, 1999
한명기, 『정묘 · 병자호란과 동아시아』 푸른역사, 2009
구범진, 『병자호란, 홍타이지의 전쟁』 까치, 2019
장한식, 『오랑캐 홍타이지 천하를 얻다』 산수야, 2015
신충일, 『건주기정도기』 보고사, 2017
이명종, 『근대 한국인의 만주인식』 한양대학교 출판부, 2018
서신혜, 『나라가 버린 사람들』 문학동네, 2014
이민성, 『1623년의 북경 외교』 대원사, 2014
장수찬, 『보물탐뎡』 김영사, 2019
김범, 『사람과 그의 글』 테오리아, 2020
이선아, 『윤휴의 학문세계와 정치사상』 한국학술정보, 2008
신상웅, 『1790년 베이징』 마음산책, 2019

제3부 | 윤내현
김수영, 『김수영시선 거대한뿌리』 민음사, 1974
윤기묵, 『역사를 외다』 푸른사상, 2016
윤내현, 『고조선 연구』 일지사, 1994
윤내현, 『한국 고대사 신론』 만권당, 2017
리지린, 『리지린의 고조선 연구』 도서출판 말, 2018
유 엠 부틴, 『고조선 연구』 아이네아스, 2019
정상우, 『조선총독부의 역사 편찬 사업과 조선사편수회』 아연출판부, 2018
정인보, 『조선사연구 상·하』 우리역사연구재단, 2013
임종권, 『한국역사학의 계보』 여울목, 2017
강인욱, 『춤추는 발해인』 주류성, 2009
성삼제, 『고조선, 사라진 역사』 동아일보사, 2005
안주섭 외, 『우리 땅의 역사』 소나무, 2007
이케우치 히로시 외, 『통구』 주류성, 2019
최부, 『최부 표해록 역주』 고려대학교 출판부, 2006
윤상욱, 『권력은 왜 역사를 지배하려 하는가』 시공사, 2018
심용환, 『역사전쟁』 생각정원, 2015

에필로그
안도현, 『백석평전』 다산북스, 2014
정철훈, 『백석을 찾아서』 삼인, 2019
김응교, 『서른세 번의 만남, 백석과 동주』 아카넷, 2020

기타
『고려사』, 『조선왕조실록』, 『파평윤씨세보』

만주 벌판을 잊은 그대에게

2021년 10월 13일 초판 1쇄 인쇄
2021년 10월 20일 초판 1쇄 발행

지은이 | 윤기묵
펴낸이 | 孫貞順

펴낸곳 | 도서출판 작가
(03756) 서울 서대문구 북아현로6길 50
전화 | 02)365-8111~2 팩스 | 02)365-8110
이메일 | morebook@naver.com
홈페이지 | www.morebook.co.kr
등록번호 | 제13-630호(2000. 2. 9.)

편 집 | 이승철 손희 김치성 설재원
디자인 | 오경은 박근영
마케팅 | 박영민
관 리 | 이용승

ISBN 979-11-90566-29-2 03810

잘못된 책은 구입하신 서점에서 바꾸어 드립니다.

값 15,000원